Katie Fisher

Curs
para
VEN 3

Primera edición   1992
Segunda edición   1994
Tercera edición   1995

Francisca Castro Viudez
Agregada

Soledad Rosa Muñoz
Agregada

Coordinadora editorial:
Pilar Jiménez Gazapo

Diseño gráfico, ilustración, maquetación
y fotocomposición:
TD-GUACH
Fotomecánica:
TRESCAN
Fotos cubierta, portada unidades e interior:
J. R. Brotons
Fotos páginas 66, 78, 79, 93 y 143:
A. Martínez Bermejo

I.S.B.N.: 84-7711-051-4
Depósito legal: B - 18381 - 1995
Impreso en España
EGEDSA

GRUPO DIDASCALIA. S.A.
Plaza Ciudad de Salta, 3 - 28043 - MADRID - (ESPAÑA)
TEL.: (1) 416 55 11 - FAX: (1) 416 54 11

ILUSTRACIONES Y TEXTOS

Unidad 1   Pág. 8: Extracto de entrevista a Camilo José Cela (Revista RONDAIBERIA). Pág. 10: Ilustración Tina & Nati (Revista GRECA). Pág.13: Cuestionario "Declaraciones íntimas" de Silvia Marsó (Revista BLANCO Y NEGRO).

Unidad 2   Pág. 25: Reproducción de folleto informativo: "Recomendaciones para un uso correcto del cámping" (JUNTA DE ANDALUCIA, Consejería de Salud). Pág. 28: Extracto de folleto turístico de Castilla y León (JUNTA DE CASTILLA Y LEÓN).

Unidad 3   Pág. 40: Extracto del artículo-encuesta: "El reto de la competitividad" (Revista ELLE).

Unidad 4   Pág. 54: Extracto del artículo "Familia Feliz" (Revista EL PAIS SEMANAL).

Unidad 5   Pág. 60: Breve artículo: "La siesta es una necesidad biológica" (Revista VITALIDAD). Pág. 67: Ilustración sobre el cacao (Catálogo de la exposición "América entre Nosotros, volumen III, SOCIEDAD QUINTO CENTENARIO).

Unidad 6   Pág. 75: Ilustración folleto tarjeta joven "Esta es la tuya" (R.E.N.F.E.)

Unidad 7   Págs. 84 y 85: Extracto de entrevista a Nuria Espert (Revista ELLE), Jaime Gil de Biedma (Periódico DIARIO 16), y Plácido Domingo (Revista BLANCO Y NEGRO). Ilustración "Ejecución del caudillo indio Tupac Amaru" (GRAN ENCICLOPEDIA DE ESPAÑA Y AMÉRICA, Editorial ESPASA CALPE/ARGANTONIO).

Unidad 8   Pág.102: Extracto del reportaje "Cuida tu coche" (Revista COSMOPOLITAN).

Unidad 9   Pág. 114: Extracto de entrevista a L. Bosch (Revista FOTOGRAMAS).Pág. 116: Extracto de "Las mil caras de la inspiración" (Diario EL PAIS).

Unidad 10   Págs. 122 y 123: Extracto del artículo "Ruidos" (EL PAIS Semanal). Pág. 128: Noticias (Periódicos EL INDEPENDIENTE y EL PAIS).

Unidad 11   Pág. 134: Artículo de Elena Rodrigo "Su vida Vale 50 pesetas" (Periódico EL SOL). Pág. 140:Resumen de Noticias (RNE).

Unidad 12   Pág. 146: Artículo de J.V. Marqués "Llamadas" (Revista EL PAIS Semanal). Pág. 148: Breve noticia (Periódico EL PAIS).

PRÓLOGO

VEN 3 cierra el ciclo iniciado en VEN 1 y VEN 2. En esta tercera parte se trata de completar la presentación de las estructuras gramaticales usuales más complejas del español. Junto a ello, hemos dado una gran importancia a la ampliación del vocabulario. Una vez que el alumno maneja el vocabulario básico, presentamos aquí un segundo estrato que le permitirá comprender y producir mensajes más elaborados utilizando un léxico más rico y preciso, adecuado a cada situación y registro.

La línea metodológica de este tercer nivel es esencialmente igual que la de los anteriores, aunque la presentación de los contenidos ofrece algunas variantes.

El orden de los apartados es siempre el mismo, sin embargo, el profesor tiene la posibilidad de introducir el tema de la unidad empezando por el apartado A o B, en función de las necesidades e intereses de sus alumnos.

A) Bajo el título de DE LIBROS o DE PRENSA se presenta un documento auténtico (texto periodístico, literario, ensayo, etc.) seguido de actividades muy variadas que nos servirán, por un lado, para desarrollar la comprensión lectora de los alumnos y, por otro, para ampliar y consolidar el léxico.

B) En el apartado que se titula COMUNICACIÓN, un diálogo presenta las estructuras y funciones más usuales de la lengua hablada, contextualizadas en una situación. A continuación aparece la práctica de lo presentado en forma de ejercicios controlados, con el objetivo de que el alumno adquiera seguridad en el uso de las funciones y las estructuras trabajadas.

Debido al carácter de este apartado, al alumno puede darle mayor confianza empezar la unidad por el diálogo en lugar de por el texto auténtico; será tarea del profesor optar por uno u otro itinerario.

C) La comprensión auditiva se refuerza con grabaciones muy variadas, contenidas en PARA ESCUCHAR.

D) PARA ESCRIBIR es un apartado dedicado a la práctica de la expresión escrita. Su lugar en las unidades varía según la relación que tiene con una u otra entrada.

E) Como en niveles anteriores, TIENES QUE SABER es el resumen de los objetivos funcionales y gramaticales presentados en COMUNICACIÓN, con sus reglas de uso, que el alumno podrá consultar antes de realizar las actividades propuestas en el apartado B.

F) En los contenidos culturales, DESCUBRIENDO continúa la presentación de diversos materiales para el conocimiento y acercamiento a la vida y cultura de España y América Latina. La nueva sección UN DÍA EN... trata de mostrarles con la fuerza de la imagen diferentes y hermosos rincones del variado mundo hispano.

Las autoras
Madrid 1992

índice.

CONTENIDOS COMUNICATIVOS	CONTENIDOS GRAMATICALES	CONTENIDOS CULTURALES
Valorar, enfatizar Acciones habituales Frecuencia Fastidio, disgusto	Siempre que + Indicativo (Temporales) Como + Indicativo (Causales) Seguir + gerundio	Canción: *Gracias a la vida* Un día en... **las Islas Canarias**
Recordar Sugerir Normas e instrucciones	Relativos con preposición Formas tónicas de pronombres con preposición	Fin de semana en Castilla-León Un día en... **Salamanca**
Pedir un servicio Expresar tiempo (aproximado y exacto)	En caso de que + Subj. (Condicionales) ¿Desde cuándo...? ¿Cuánto tiempo hace que...?	El perfil de la mujer directiva española Un día en... **Madrid**
Lástima Resignación Hipótesis, probabilidad Despreocupación, indiferencia	Es una pena que + Subj. Es probable que + Subj. Si + Pretérito Imperfecto de Subj. + Pretérito Pluscuamperfecto Subj. (Condicionales)	Familia feliz Un día en... **Granada**
Animar, tranquilizar Consejos, sugerencias Frecuencia Deseos / Lamentación	Ojalá + Subj. Siempre que + Subj. (Condicionales)	Dos cultivos del continente latinoamericano: azúcar y cacao
Ponerse de acuerdo para hacer algo Hipótesis Fastidio Aconsejar, opinar	Mientras + Indicativo (Temporales) Es mejor + Infinitivo Es mejor + que + Subj. Lo más seguro es que + Subj. Quedar en (que) + Indicativo	Panorama de México
Cortar una conversación Interesarse por alguien Transmitir información Transmitir órdenes	Estilo Indirecto Uso de "al cabo de..., más tarde, dentro de, etc."	La Independencia de América Latina(I) Un día en... **Caracas**
Recriminar, pedir explicaciones Disculparse y responder Sentir, lamentar	Perdona que + Subj. Siento + Infinitivo Siento que + Subj. Como si + Pretérito Imperfecto de Subj. Expresión de la consecuencia	La Independencia de América Latina (II)
Valorar con énfasis Proponer Dejar que elija el interlocutor Sugerir	Hasta que + Ind./Subj. (Temporales) Como, adonde, cuando, lo que, etc. + Presente de Subj.	Jacqueline y Picasso Un día en... **Toledo**
Opinar Involuntariedad	Está claro, es obvio, es evidente + Ind. Me parece lógico que + Subj. Antes de + Inf. Antes de que+ Subj. (Temporales) Se + me / te / le / nos / os / les	Antonio Machado Un día en... **Segovia**
Preguntar por la dificultad Preguntar por la diferencia Opinar	Pienso / Estoy seguro de que + Ind. Superlativos No... sino No sólo... sino también	El Norte y el Sur Un día en ... **Santiago de Chile**
Felicitar Saludar a otro Cambios experimentados en las personas Diferencia de edad	Como + Subj. (Condicionales) Sin que + Subj. (Modales)	Las Instituciones Españolas: El Congreso y el Senado

VIVIR CADA DÍA

- **• *Clase de Escrito y Campo Léxico***

    - Entrevista a Camilo J. CELA

    - Carácter, hábitos

- **• *Contenidos Comunicativos***

    - Valorar, enfatizar

    - Acciones habituales

    - Frecuencia

    - Fastidio, disgusto

- **• *Contenidos Gramaticales***

    - Siempre que + Indicativo (Temporales)

    - Como + Indicativo (Causales)

    - Seguir + gerundio

- **• *Contenidos Culturales***

    - Canción: Gracias a la vida

    - Un día en… Las Islas Canarias

El Café Gijón de Madrid, tradicional local de tertulias y encuentros literarios.

ANTES DE LEER

-¿Conoces a algún escritor actual en lengua española?

-¿Qué sabes de Camilo José Cela?

-Busca en el diccionario las siguientes palabras:

tajante	osado	pelmazo
pereza	gula	vendaval
mozas		

Camilo José Cela

Camilo José Cela es un auténtico gentleman. Como tal, nunca tiene miedo ni muestra sensaciones. Sabe muy bien lo que quiere y no le gusta discutir. Si alguien niega algunas de sus tajantes afirmaciones, él jamás argumenta; se limita a mirar al osado por encima de sus gafas, levantando sus poderosas cejas, y a decir: «Bueno, pues entonces no». Come y duerme como un rey, y está lleno de salud; no es pelmazo ni cursi. No conoce la envidia, la avaricia ni la pereza; asegura que ni la gula, ni la lujuria deberían estar en la nómina de los pecados capitales. No es soberbio, sino seguro. «La inseguridad es la madre de todos los vicios», afirma.

Es hombre de costumbres casi inamovibles, de citas escrupulosas, de puntualidad británica, de orden minucioso. Pero, debajo de ese rigor aquietado por las aguas mansas de su exquisita educación, rebulle un seísmo interior, y un vendaval de ideas recorre continuamente la ancha frente de don Camilo, vigoroso y alborotador, su mejor personaje.

-Cuéntenos algo de su rutina diaria, de su trabajo...

-Desde que vivo aquí, en Guadalajara, mi vida empieza a las ocho de la mañana. Me levanto y doy un paseo de un par de kilómetros. Como voy cuesta abajo, tengo que ir apretando bien las piernas, no sea que me despeñe. A esas horas las mamás llevan a sus hijos al colegio y me saludan:«¡Adiós, don Camilo!». «¡Buenos días tengan ustedes!», les digo yo... ¡qué bonito, ¿eh?!. Cuando me dieron el Nobel clavaron carteles en los árboles felicitándome, ya ve... Relaciones de buena vecindad. Y en fin, luego desayuno y escribo toda la mañana. Almuerzo muy poco, menos de lo que quisiera, y duermo la siesta. Vuelta al trabajo, si es que no tengo otro compromiso, y al final del día suelo cenar con los amigos.

-Pero usted no siempre ha vivido en Guadalajara.

-No. Mire usted, uno está donde le dejan estar; en el mejor de los casos donde puede y cuando hay mucha suerte, donde quiere. He vivido en Galicia y en Madrid y en Palma. Ahora vivo aquí, que es el lugar donde el Arcipreste de Hita perseguía a las mozas y en el que yo escribí dos libros de viajes, el primer y el nuevo "Viaje a la Alcarria".

-Hablando de viajes, ¿es usted viajero?

-He sido muy viajero. Todavía voy de un lado a otro, aunque procuro no hacer grandes distancias. Hubo una época en que iba a pie y ahora alterno el coche con tren y el avión.

Rondaiberia

EL PAIS

Extra

CAMILO JOSÉ **Cela** NOBEL DE LITERATURA

A) Localiza dónde y cómo se dice esto en el texto:
1. Tiene una gran seguridad en sí mismo.
2. Si alguien le lleva la contraria no discute.
3. A la persona que no está de acuerdo con él le da la razón.
4. Tiene muy buena salud.
5. Cree que ni la gula ni la lujuria son vicios graves.
6. Piensa que ser inseguro es lo peor que le puede pasar a una persona.
7. Lleva una vida muy ordenada.
8. Es un hombre aparentemente tranquilo, pero en realidad inquieto y lleno de ideas.
9. Todos se alegraron en Guadalajara cuando le dieron el premio Nobel.
10. Se lleva muy bien con sus vecinos.

B) Escribe el adjetivo correspondiente a la definición:

avaricioso	envidioso	seguro	cursi	miedoso
perezoso	puntual	soberbio	vigoroso	educado

1. _____ -Persona que no es natural, que es afectada y resulta ridícula a los demás.

2. _____ -Persona que sufre por las cosas que tiene o consigue otra persona y que ella no puede conseguir.

3. _____ -Persona que sabe comportarse en sociedad.

4. _____ -Aquel a quien no le gusta la actividad ni el trabajo.

5. _____ -Persona que siempre llega a un sitio exactamente a la hora debida.

6. _____ -El que con facilidad se asusta o siente temor.

7. _____ -La persona que sabe lo que quiere y no se pone nerviosa con facilidad, sino que se mantiene tranquila.

8. _____ -Aquel que se cree superior a los que le rodean y desprecia a los inferiores.

9. _____ -Persona fuerte y capaz de resistir un gran trabajo y cualquier esfuerzo.

10. _____ -El que no da nada de lo que tiene y le gusta almacenar dinero y riquezas.

C) ¿Cuáles de los adjetivos anteriores corresponden al carácter de Cela, según él mismo dice en la entrevista?
   ¿Qué suele hacer por las mañanas? ¿Y por la tarde?
   ¿Cuándo escribe?

D) Relaciona estos sinónimos:

        1. cursi   a. fuerte
        2. avaricioso   b. vago
        3. perezoso   c. altivo
        4. educado   d. ridículo
        5. vigoroso   e. tacaño
        6. soberbio   f. cortés

¿QUÉ ES DE TU VIDA?

Ana: ¡Hombre, Pedro! ¡Cuánto tiempo sin verte! ¿Dónde te metes?

Pedro: Es cierto, hace siglos que no nos vemos. La verdad es que no paro. ¡No puedes imaginarte lo ocupado que estoy! Sigo trabajando en la misma empresa, pero, como he subido de categoría, trabajo también mucho más.
¿Y tú?, ¿qué haces?.

Ana: Yo, nada de particular. Llevo una vida muy tranquila, doy clases de dibujo en la Escuela de Arquitectura tres días a la semana y tengo bastante tiempo libre para pintar.

Pedro: ¡No sabes cómo te envidio!

Ana: No te quejes, tu vida es más interesante, conoces gente, viajas...

Pedro: No me hables de viajes, tengo que ir dos o tres veces al mes a Barcelona y cada tres meses, al extranjero. Me paso la vida en los aviones.

Ana: Pues no creas, a mí a veces también me dan ganas de cambiar de vida.

¿QUÉ HACÍAS EN EL PUEBLO?

Antonio: Juanjo, tú eres de aquí, ¿no?

Juanjo: Sí, aunque mis padres son andaluces, yo nací en Madrid.

Antonio: Y tú, Cristina, tú no eres madrileña, ¿verdad?

Cristina: No, yo no. Yo soy de Béjar, un pueblo de Salamanca. Me vine a Madrid hace tres años para estudiar en la Universidad, pero siempre he vivido en mi pueblo.

Juanjo: Eso de vivir en un pueblo debe de ser un rollo, ¿no?

Cristina: ¡Qué va! Depende de cada uno. Yo en mi pueblo hacía casi las mismas cosas que aquí: iba a clase, al instituto. Los sábados solía reunirme con mis amigos en casa de alguno o íbamos a la discoteca o al "pub". Pero cuando mejor nos lo pasábamos era en primavera y verano: cogíamos la merienda y nos íbamos en bicicleta o en moto a recorrer los alrededores.

Juanjo: Pero no me negarás que, viviendo en un pueblo, no tienes las mismas posibilidades que en una ciudad como Madrid. Tampoco tienes tanto donde elegir a la hora de comprar ropa o discos...

Cristina: Sí, eso sí. Lo que pasa es que siempre que queríamos podíamos venir a Salamanca o a Madrid para hacer compras o ver una película de estreno. A mí me gusta realmente mi pueblo y pienso volver allí cuando termine la carrera.

> ¿Dónde te metes?   Me paso la vida.........
> Hace siglos que...   Me dan ganas de......
> No paro.   No me negarás que..

A) En parejas. A pregunta a B sobre la frecuencia con que se realizan estas acciones. Para preguntar, utiliza ¿Cada cuánto...? y para responder, mira el recuadro:

> Diariamente / semanalmente / mensualmente
> Una vez al mes / semana / año
> Cada cuatro años

Ej.: A. ¿Cada cuánto tiempo hay vuelos a Barcelona?
      B. Cada media hora.

1. Hay elecciones generales en la mayoría de los países.
2. Sale la revista "Mía".
3. Es necesario hacerse un chequeo médico.
4. Hay exámenes en los centros escolares.
5. Hay que regar las plantas en verano.

B) Ahora pregunta a tu compañero la frecuencia con la que hace estas cosas:

Ir al cine, escribir cartas personales, leer una novela, ver a los padres o abuelos, salir al extranjero, comprar un disco, hacer gimnasia.

C) Une las frases poniendo delante *como* o *siempre que*

1. viene a verme
2. aprobó el curso
3. es muy soberbio
4. es muy tímido
5. el ordenador estaba bien de precio
6. tengo más responsabilidades
7. tenía unos días libres
8. dan una buena película en la tele

a. tengo también más sueldo.
b. me lo compré.
c. me trae un regalo.
d. me quedo en casa para verla.
e. iba a ver a sus padres.
f. a nadie le cae bien.
g. dio una fiesta.   a
h. no le gusta conocer gente nueva.

D) Transforma las frases, siguiendo el ejemplo.

Ej.: Lo pasamos muy bien en el viaje de verano.
     No puedes imaginarte lo bien que lo pasamos en el viaje de verano.

1. Jaime es un pelmazo, siempre cuenta lo mismo.
2. El domingo, en el Pardo, comimos un cordero riquísimo.
3. Ana María es muy cursi, no hay quien la aguante.
4. Camilo come muchísimo.
5. Ese pueblo está demasiado lejos para ir y volver en un día.

E) En grupos de 4.¿Nuestros abuelos vivían mejor o peor que nosotros? Dos alumnos hacen una lista de las cosas que tenían y de lo que hacían nuestros abuelos, y los otros dos de las ventajas y desventajas de la vida actual. Luego lo discuten en grupo.

PARA ESCRIBIR

Lee las "declaraciones íntimas " de esta joven actriz española. Busca las palabras que no entiendas en el diccionario.

SILVIA MARSÓ

- Rasgo principal de mi carácter .... **Honestidad**
- Cualidad que prefiero en el hombre........... **Sensibilidad, sinceridad**
- Cualidad que prefiero en la mujer .... **" " " "**
- Mi principal defecto .... **Impulsividad**
- Ocupación que prefiero en mis ratos libres **Leer, observar, pensar**
- Mi sueño dorado .... **Viajar por todo el mundo**
- Para estar en forma necesito dormir........... **De noche**
- Mis escritores favoritos .... **Los del Siglo de Oro, García**
.... **Márquez, Lorca**
- Mis pintores favoritos........................... **Velázquez, Botticelli, Pérez**
.... **Muñoz, Liébana**
- Mis músicos favoritos .... **Beethoven, Händel, Miles Davis,**
.... **Sting, Casals**
- Mi deporte favorito.................................... **El montañismo**
- Mis políticos favoritos................................ **Tierno Galván (porque nunca lo**
.... **consideré un político)**
- Héroes novelescos que más admiro........... **El Quijote, La loca de Chaillot**
- Hecho histórico que prefiero .... **La proclamación de los**
.... **Derechos Humanos**
- Comida y bebida que prefiero.................... **Paella, el Colacao**
- Lo que más detesto .... **Violencia, hipocresía, frivolidad**
- Reforma que creo más necesaria.............. **La conciencia ecológica mundial**
- ¿Cómo quisiera morirme? .... **Escuchando el Requiem de**
.... **Mozart**
- Estado actual de mi espíritu .... **En constante ebullición**
- Faltas que me inspiran más indulgencia.... **Las de las pasiones**

Nació el 8 de Marzo de 1.963 en Barcelona. Con el concurso televisivo "Un, dos, tres..." le llegó la fama, y con el teatro y el cine, la consagración definitiva. Es una de las actrices más populares del momento. Actualmente interpreta en el teatro Alcázar " La loca de Chaillot "

En parejas: A prepara un cuestionario con las preguntas más interesantes y B lo rellena.

PARA ESCUCHAR

Luis Pérez Salcedo es periodista en una emisora de Radio Nacional, responsable de los informativos de madrugada, de ahí su horario un tanto inhabitual. Escucha atentamente.

Con ayuda de las imágenes, reconstruye la vida del periodista. Utiliza las palabras del recuadro:

al revés	diariamente	a la una de la tarde	acostarse
gimnasia de mantenimiento		sueño	ensaladilla rusa
aguantar	a mediodía		

CONTENIDOS COMUNICATIVOS

VALORAR, ENFATIZAR	No te puedes imaginar lo cansada que estoy. No sabes cómo nos divertimos.
ACCIONES HABITUALES	Los veranos suelo ir a la playa. Antes iba al pueblo siempre que podía.
FRECUENCIA	-¿Cada cuánto tiempo vas al gimnasio? -Cada dos días.
FASTIDIO, DISGUSTO	-¿Qué tal el nuevo piso? -No me hables, ...todo son problemas, nada funciona bien.

CONTENIDOS GRAMATICALES

• **SIEMPRE QUE**
  Cuando tiene valor temporal, habitual, sea en el presente o en el pasado, lleva el verbo en Indicativo:

> Ej.: *Voy a ver a mis padres siempre que puedo.*
> *Cuando era joven, siempre que había un concierto de jazz en mi ciudad iba verlo.*

• **NO SABES / NO TE PUEDES IMAGINAR**

  -... LO + adj. + QUE +verbo
>   Ej.: *No te puedes imaginar lo contenta que estoy.*

  -... LO + QUE + verbo
>   Ej.: *No te puedes imaginar lo que nos divertimos.*

  -... LO + adv. + QUE + verbo
>   Ej.: *No te puedes imaginar lo bien que está mi abuela.*

  - ...CÓMO + verbo
>   Ej.: *No sabes cómo nos lo pasamos.*

• **COMO (Causal)**
  Cuando la frase introducida por "como" tiene valor causal, va siempre en INDICATIVO, y va antes de la oración principal, nunca después:

> Ej.: *Como era muy barato, me lo compré.*

• **SEGUIR + GERUNDIO**
  Indica la continuación de una acción que se realizaba en el pasado:

> Ej.: *-¿Sigues estudiando chino?*
> *-No, ya lo he dejado.*

tienes que saber...

"Gracias a la vida"

A continuación, vas a oír una canción compuesta por Violeta Parra a principios de los 70..
Posteriormente ha sido interpretada por muchos cantantes, convirtiéndose así en un canto popular muy extendido a todo el mundo hispano.

Antes de escuchar la canción, léela detenidamente. En este caso, es tan importante el contenido como la música. Para comprenderla bien, fíjate en que cada párrafo (o estrofa) está dedicado a una capacidad humana:

1-. La vista (luceros=ojos).
2-. El habla (sonido+abecedario=palabras).
3-. El oído.
4-. La sensibilidad (el corazón).
5-. La marcha.
6-. La risa y el llanto.

GRACIAS A LA VIDA

1. Gracias a la vida que me ha dado tanto:
Me dio dos luceros que cuando los abro
perfecto distingo lo negro del blanco
y en el alto cielo su fondo estrellado
y en las multitudes al hombre que yo amo.

2. Gracias a la vida que me ha dado tanto:
Me ha dado el sonido y el abecedario;
con él las palabras que pienso y declaro:
madre, amigo, hermano; y luz alumbrando
la ruta del alma del que estoy amando.

3. Gracias a la vida que me ha dado tanto:
Me ha dado el sonido que en todo su ancho
graba noche y día grillos y canarios,
martillos, turbinas, ladridos, chubascos
y la voz tan tierna de mi bien amado.

4. Gracias a la vida que me ha dado tanto:
Me dio el corazón que agita su marco
cuando miro el fruto del cerebro humano,
cuando miro al bueno tan lejos del malo,
cuando miro el fondo de tus ojos claros.

5. Gracias a la vida que me ha dado tanto:
Me ha dado la marcha de mis pies cansados
con ellos anduve ciudades y charcos,
playas y desiertos, montañas y llanos
y la casa tuya, tu taller, tu patio.

6. Gracias a la vida que me ha dado tanto:
Me ha dado la risa y me ha dado el llanto:
así y distingo dicha de quebranto,
los dos materiales que forman mi canto
y el canto de ustedes que es mi propio canto
gracias a la vida que me ha dado tanto.

Después de escucharla, contesta a estas preguntas:

1. ¿Qué ve la autora de la canción cuando abre los ojos?
2. ¿Qué ruidos oye?
3. ¿Qué palabras son claves para la autora de la canción?
4. ¿Qué quiere decir cuando afirma que "el marco de su corazón se agita"?
5. ¿Cuáles son los "materiales" que forman el canto de la poeta? ¿Podrías encontrar un sinónimo para cada uno?

las Canarias

un día en...

El drago milenario (Tenerife)

Paseo en camello
(Parque Nacional de Timanfaya, Lanzarote)

El volcán Teide
(Tenerife)

Los Jameos del agua (Lanzarote)

Islote de Hilario (Parque Nacional de Timanfaya, Lanzarote)

UNIDAD 2

TIEMPO LIBRE

La aventura de volar.

ANTES DE LEER

- ¿Te gusta el fútbol? ¿Vas normalmente a ver los partidos de tu equipo? ¿Crees que es realmente un deporte o un espectáculo?

- Busca en el diccionario estas palabras:

tarascada   deserción   marcador   peloteo   insulso

El fútbol, en baja...

El escritor García Hortelano declaraba hace unos días en Televisión española, que, a su juicio, la progresiva deserción de espectadores de los campos de fútbol obedecía a la violencia de este deporte, no a la violencia de las gradas y de la calle, de la que tanto se viene hablando, sino a la de los propios jugadores en la pradera. Yo creo que García Hortelano no va descaminado. Quizá sea excesivo de momento llamarlo violencia, pero, evidentemente, lo que a la gente empieza a molestarle en este triste espectáculo del fútbol es la tarascada, el hecho de que un jugador mediocre se habitúe a cortar la jugada de un jugador notable mediante el empleo de malas artes con el convencimiento de que es un hecho natural. Hubo un tiempo, futbolísticamente feliz, en el que ambos conjuntos saltaban al campo a ganar, las alternativas en dominio y marcador creaban una tensión que hacía vibrar al público, le distraía y llegaba incluso a apasionarle. Hoy, la actitud conservadora, puramente defensiva del noventa por ciento de los equipos, incluídas las selecciones nacionales, ha enfriado al espectador. El público está cansado del peloteo insulso, mecánico, meramente destructor, y ante la falta de agresividad y de goles, opta por quedarse en casa.

Pegar la hebra. M. DELIBES

A) Busca en el texto siete palabras relacionadas con el deporte y escríbelas.

B) El contenido del ensayo de Delibes está centrado en las causas por las cuales los aficionados al fútbol ya no van al campo a ver los partidos. ¿Cuáles son estas causas?.
Por otra parte, según Delibes, antes no era así, ¿estás de acuerdo con él?. Escribe tu opinión.
Compara tus respuestas con las de tus compañeros y haced un debate sobre el tema.

C) Completa el texto siguiente con las palabras del recuadro:

jugada	ganar	equipo	selección nacional
encuentro/partido	gradas	deporte	espectador
gol	fútbol	saltar	aficionados
campo de fútbol	marcar		

El _____ más popular en España e Hispanoamérica es el _____ . Los sábados y domingos generalmente, un gran número de _____ a este deporte se dirigen al _____ _____ para presenciar el _____ en el que juega su _____ o la _____ de su país. Los espectadores se sientan en las _____ con la esperanza de ver _____ _____ a su equipo. Cuando comienza el _____, los futbolistas _____ al campo y los _____ aplauden las buenas _____, y sobre todo los _____ que _____ los jugadores de su equipo.

D) Explica el significado de estas expresiones y forma una frase con cada una de ellas.
    1. obedece a
    2. se viene hablando
    3. (no) ir descaminado
    4. enfriar al espectador
    5. optar por

E) Lee la noticia y responde:

Fuerte dispositivo policial en el Barcelona - Real Madrid.

La Policía Nacional pondrá hoy en marcha un dispositivo de seguridad especial, con motivo del partido Barcelona-Real Madrid, parecido al que desarrolló con éxito la semana pasada cuando el Barcelona jugó en el Estadio Santiago Bernabéu, el campo del Real Madrid. La Policía, como medida preventiva, ha decidido colocar un segundo cinturón de control alrededor del estadio después de los gravísimos enfrentamientos ocurridos recientemente entre los hinchas de cada equipo. En estos enfrentamientos resultó muerto un joven.

Más de 700 agentes, muchos de ellos vestidos de paisano, establecerán dos cinturones. Uno en los lugares próximos al campo en los que suelen quedar citados los aficionados más violentos, y otros a la entrada del campo.

Por otro lado, parece ser que muy pocos seguidores irán a animar a su equipo, ya que el viernes sólo se habían vendido mil entradas, de las 18.500 disponibles. Los precios oscilan entre las 2.000 y las 7.000 ptas.

	V	F
1. La semana pasada el Barcelona jugó en el campo del Real Madrid.		
2. En el partido de la semana pasada murió un joven.		
3. El joven que murió era jugador de fútbol.		
4. Habrá, por lo menos, 700 policías.		
5. Muchos policías no irán de uniforme.		
6. Los policías llevarán cinturones.		
7. Ya se han vendido mil entradas.		
8. Cada entrada cuesta 18.500 ptas.		

UN ENCUENTRO CASUAL.

Susana: ¿Sabes con quién me he encontrado al salir del supermercado?

Angel: No, ¿con quién?

Susana: Con Ricardo Pérez y su mujer.

Angel: ¿Y quiénes son ésos?, no sé de quién me estás hablando.

Susana: Pero, hombre, ¿no te acuerdas de ellos? Estuvieron en el mismo cámping que nosotros este verano.

Angel: Pues no me acuerdo, ni idea.

Susana: Sí, hombre, sí, aquel bajito, moreno, al que le gustaba mucho hacer excursiones y subir a la montaña. Su mujer se llamaba Carmen y coleccionaba sellos... Se pasaba todo el día hablando de su colección...

Angel: ¡Ah, sí!, ahora caigo, era una gente muy agradable. ¿Y qué te han dicho?.

Susana: Que a ver si nos llamamos un día y nos ponemos de acuerdo para hacer una excursión.

Angel: No es mala idea, en cuanto empiece el buen tiempo les llamamos, porque, con este frío, no apetece nada salir al campo, la verdad.

> ... ni idea.
> ... se pasaba el día...
> ..., la verdad.

A) En parejas, improvisad cuatro microdiálogos parecidos al modelo con estos datos:

1. Te has encontrado con Rosa, una compañera del Instituto. A ella le encantaban los animales. Se lo dices a otra compañera y no se acuerda de ella.
2. Has estado hablando con Alejandro Pérez, el abogado de tus padres, casado con Puri. Se lo cuentas a tu hermano, pero éste no tiene ni idea de quién es el abogado.
3. Has estado jugando a squash en el gimnasio que abrieron el año pasado. Se lo cuentas a Antonio, que fue contigo una vez, pero no se acuerda.
4. Has visto la última película del director Paco Gómez. El otro día, en la tele, hablaron de ese director. Tu mujer vio el programa, pero no se acuerda.

B) Forma frases como en el ejemplo:

> Ésta es la familia.
> La conocimos en el cámping.
> *Ésta es la familia a la que conocimos en el cámping.*

1. Ayer vi una película.
   Tú me hablaste de ella.
2. Ya he encontrado un diccionario.
   En el diccionario aparece esa palabra.
3. Te presento a Juan.
   Yo estudié con Juan toda la carrera.
4. Tengo un asunto urgente.
   Quiero hablarte de ese asunto.
5. Pilar y Rosa son mis amigas.
   Estuve con ellas en la India el verano pasado.
6. Ésta es la casa.
   En esta casa vivía cuando era pequeño.
7. Éste es el campo de fútbol.
   En este campo de fútbol se jugó la final del Mundial.
8. Éstos son los chicos.
   Con ellos juego a squash los sábados por la mañana

C) Éstas son algunas actividades que se pueden hacer en el tiempo libre. Señala las que más te atraen. Si no hay ninguna que te guste, añade tú algunas más.

coleccionar sellos/monedas/antigüedades		la ópera	hacer punto
la jardinería	la fotografía	montar a caballo	los animales
el alpinismo	el cine	el bricolaje	la decoración
escuchar/ver deporte	la parapsicología		

Pregunta a tu compañero qué actividades ha elegido y pídele detalles: ¿Cuándo se dedica a ellas?, ¿cómo y cuándo empezó?, ¿cómo aprendió?, ¿le cuesta mucho dinero o poco?, ¿las practica solo o acompañado, con quién?, etc...

D) Piensa cuál es la forma correcta del Imperativo y luego colócala en los huecos correspondientes.

CÁMPINGS

RECOMENDACIONES PARA UN USO CORRECTO DEL CÁMPING.

El cámping es un servicio público que facilita la convivencia y el contacto con la naturaleza. Las acampadas en lugares no autorizados, en cambio, implican riesgos sanitarios y ecológicos.

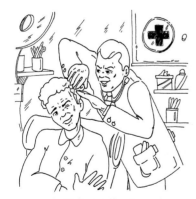

No _____ basura ni desechos. Mantenga bajo el volumen de su transistor o televisor por respeto a sus vecinos. _____ los servicios higiénicos y _____ que éstos estén limpios.

utilizar	arrojar
cuidar	exigir

Identifíquese al llegar. _____ de sus derechos y obligaciones como usuario del cámping. _____ la lista de precios, que debe tener el sello de la Delegación Provincial de Turismo.

informarse
consultar

El cámping debe disponer de un botiquín. No _____ en utilizarlo cuando le sea necesario. _____ al director del cámping cualquier caso de enfermedad febril o contagiosa.

dudar
comunicar

_____ en lo posible la cubierta vegetal del terreno. Si fuma, atención con las colillas: fácilmente pueden provocar un incendio. Cuando vaya a dejar el cámping, _____ limpia su parcela de basura y deshechos.

dejar
respetar

Asegúrese de que la cocina está distante de cualquier material que pueda arder. _____ antes de marcharse. Si comienza a arder, no _____ de apagarla con agua, sino con un extintor de polvo seco o con una manta. Actúe con calma. Aleje a los niños y _____ el poste contra incendios.

apagar	tratar
	utilizar

PARA ESCRIBIR

Después de leer la historia, reescríbela con tus propias palabras, exponiendo el punto de vista de los aficionados de uno u otro equipo. Utiliza las palabras que has aprendido en el texto: capitán del equipo, tribunas, estadio, campeonato mundial, hinchas.

Si te gusta el periodismo, intenta escribir la crónica de este partido.

1950. Río de Janeiro

Obdulio

Viene brava la mano, pero Obdulio saca pecho y pisa fuerte y mete pierna. El capitán del equipo uruguayo, negro mandón y bien plantado, no se achica. Obdulio más crece mientras más ruge la inmensa multitud, enemiga, desde las tribunas.

Sorpresa y duelo en el estadio de Maracaná: el Brasil, goleador, demoledor, favorito de punta a punta, pierde el último partido en el último minuto. El Uruguay, jugando a muerte, gana el campeonato mundial de fútbol.

Al anochecer, Obdulio Varela huye del hotel, asediado por periodistas, hinchas y curiosos. Obdulio prefiere celebrar en soledad. Se va a beber por ahí, en cualquier cafetín; pero por todas partes encuentra brasileños llorando.

-*Todo fue por Obedulio*- dicen, bañados en lágrimas, los que hace unas horas vociferaban en el estadio-. *Obedulio nos ganó el partido.*

Y Obdulio siente estupor por haberles tenido bronca, ahora que los ve de a uno. La victoria empieza a pesarle en el lomo. Él arruinó la fiesta de esta buena gente, y le vienen ganas de pedirles perdón por haber cometido la tremenda maldad de ganar. De modo que sigue caminando por las calles de Río de Janeiro, de bar en bar. Y así amanece, bebiendo, abrazado a los vencidos.

Memoria del fuego. E. GALEANO

PARA ESCUCHAR

Aquí tienes varias opciones para tu tiempo libre: escuchar flamenco, asistir a una exposición de vídeos, a otra de actividades de tiempo libre, escuchar un recital de música clásica o ver la tele. Escucha y toma nota.

1. **Recital de Alfredo Kraus**
   Día y hora _____
   Lugar _____
   Pianista _____

2. **Jornadas dedicadas al tiempo libre**
   Horario _____
   Día de apertura y duración _____
   Programa para hoy _____
   Lugar _____

3. **II Festival de Flamenco de Tarantos.**
   Día y hora _____
   Lugar _____
   Algunos cantaores _____
   Guitarristas _____

4. **Primeras Jornadas de Vídeo**
   Duración _____
   Hora de proyección de los vídeos _____
   Lugar _____
   Temas de las mesas redondas _____

5. **Concierto del cantante caribeño Juan Luis Guerra.**
   Día y hora _____
   Lugar _____
   Canciones famosas _____

CONTENIDOS COMUNICATIVOS

RECORDAR	Ah, ya caigo/ya me acuerdo
SUGERIR	A ver si vamos un día de éstos a cenar fuera.
NORMAS E INSTRUCCIONES	Asegúrese de que el fuego queda bien apagado

CONTENIDOS GRAMATICALES

• **RELATIVOS CON PREPOSICIÓN**

Cuando el antecedente del pronombre es una cosa:

a
para
con } el/ la/ los/ las + QUE + verbo
de
por

Ej.: *He visto la película de la que hablaron el otro día en la tele.*
Aquella es la playa a la que vinimos el año pasado.

Cuando el antecedente del pronombre es una persona:

a
para   } el/ la/ los/ las + QUE + verbo
con
de   } + QUIEN + verbo
por

Ej.: *Ya ha llegado el niño del que te hablé.*
No quiere hablar de la persona con quien ha vivido tanto tiempo

• **FORMAS TÓNICAS DE PRONOMBRES CON PREPOSICIÓN:**

a   MÍ
para   TI
con   EL/SÍ   CON + MÍ = conmigo
de   NOSOTROS   CON + TI = contigo
por   VOSOTROS   CON + SÍ = consigo
       ELLOS

SÍ y CONSIGO tienen únicamente valor reflexivo.

Ej.: *Cuando (él) se fue, se llevó consigo (con él mismo) todo lo que tenía.*
Yo me iré con él si me lo pide.
Al volver en sí preguntó que dónde estaba.

Después de las preposiciones "entre", "hasta" y "según", se utilizan los pronombres sujeto:

Ej.: *Entre tú y yo lo terminaremos enseguida.*
Según tú, el concierto era a las 9.

tienes que saber...

FIN DE SEMANA

En este folleto turístico encontramos una invitación al reposo, al silencio, a disfrutar de los castillos (hospedaje de reyes)... El autor ha utilizado, por una parte, el imperativo para invitar y, por otra, palabras y frases de términos opuestos para resaltar la diferencia entre la vida habitual de la ciudad y un probable fin de semana en Castilla-León. Subraya los imperativos y señala las oposiciones, ejemplo: *claxon - silencio*.

ESTE FIN DE SEMANA
CAMBIE DE RITMO

- No corra, pasee.
- Convierta la prisa en pausa.
- Cambie el bocado rápido por la comida relajada.
- Sintonice otros sonidos, olvídese del claxon y descubra el silencio.
- Este fin de semana...

D E S C A N S E

ESTE FIN DE SEMANA
VIAJE LO JUSTO

- Lo tiene al lado de casa.
- No piense en las largas distancias ni en paradas para reposar.
- Está a tiro de piedra.
- Este fin de semana...

... E C O N O M I C E

ESTE FIN DE SEMANA
VAYA DESCUBRIENDO

- Donde mire y donde pare.
- CASTILLA Y LEÓN es una tierra sorprendente.
- Aquí hay de todo: montañas, lagos, arte, historia.
- Descubra un hospedaje de reyes.
- Trate con gentes nobles y generosas.
- Este fin de semana... S O R P R É N D A S E

En grupos de 4. Pensad en una actividad para el fin de semana y elaborad una serie de frases que inviten al resto de la clase a realizarla.

Salamanca

un día en...

Casa de las Conchas

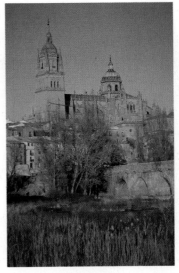

Catedral y río Tormes

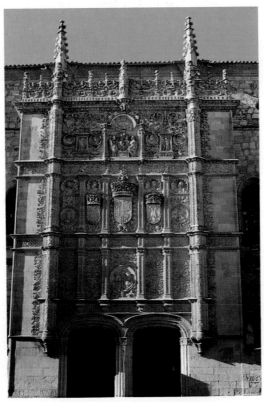

Fachada de la Universidad

Claustro del convento de las Dueñas

El Lazarillo de Tormes y el ciego

UNIDAD 3

EL TRABAJO

• *Clase de Escrito y Campo Léxico*

- Relato breve (Historias de cronopios y de famas, de J. CORTÁZAR)

- Trabajo, oficinas

• *Contenidos Comunicativos*

- Pedir un servicio

- Expresar tiempo (aproximado y exacto)

• *Contenidos Gramaticales*

- En caso de que + Subj. (Condicionales)

- ¿Desde cuándo…?

- ¿Cuánto tiempo hace que…?

• *Contenidos Culturales*

- El perfil de la mujer directiva española

- Un día en… Madrid

Edificio de oficinas (Madrid).

- ¿Para qué vamos a una oficina de Correos?
- ¿Y a una oficina de Telecomunicaciones (o Teléfonos) ?
- Escribe una lista de palabras que recuerdes relacionadas con Correos y Teléfonos.

CORREOS Y TELECOMUNICACIONES.

Una vez que un pariente de lo más lejano llegó a ministro, nos arreglamos para que nombrase a buena parte de la familia en la sucursal de correos de la calle Serrano. Duró poco, eso sí. De los tres días que estuvimos, dos los pasamos atendiendo al público con una celeridad extraordinaria que nos valió la sorprendida visita de un inspector del Correo Central y un suelto laudatorio en La Razón. Al tercer día estábamos seguros de nuestra popularidad, pues la gente ya venía de otros barrios a despachar su correspondencia y a hacer giros a Purmamarca y a otros lugares igualmente absurdos. Entonces mi tío el mayor dio piedra libre, y la familia empezó a atender con arreglo a sus principios y predilecciones. En la ventanilla de franqueo, mi hermana segunda obsequiaba un globo de colores a cada comprador de estampillas. La primera en recibir su globo fue una señora gorda que se quedó como clavada, con el globo en la mano y la estampilla de un peso ya humedecida que se le iba enroscando poco a poco en el dedo. Un joven melenudo se negó de plano a recibir su globo, y mi hermana le amonestó severamente mientras en la cola de la ventanilla empezaban a suscitarse opiniones encontradas. Al lado, varios provincianos empeñados en girar insensatamente parte de sus salarios a los familiares lejanos, recibían con algún asombro vasitos de grapa y de cuando en cuando una empanada de carne, todo esto a cargo de mi padre que además les recitaba a gritos los mejores consejos del viejo Vizcacha. Entre tanto, mis hermanos, a cargo de la ventanilla de encomiendas, las untaban con alquitrán y las metían en un balde lleno de plumas. Luego las presentaba al estupefacto expedidor y le hacían notar con cuánta alegría serían recibidos los paquetes así mejorados.«Sin piolín a la vista», decían. «Sin el lacre tan vulgar, y con el nombre del destinatario que parece que va metido debajo del ala de un cisne, fíjese.» No todos se mostraban encantados, hay que ser sincero.

Cuando los mirones y la policía invadieron el local, mi madre cerró el acto de la manera más hermosa, haciendo volar sobre el público una multitud de flechitas de colores fabricadas con los formularios de los telegramas, giros y cartas certificadas. Cantamos el himno nacional y nos retiramos en buen orden; vi llorar a una nena que había quedado tercera en la cola de franqueo y sabía que ya era tarde para que le dieran un globo.

Historias de cronopios y de famas. J. CORTÁZAR.

A) Contesta a las preguntas:

1. ¿Por qué empezó la familia a trabajar en una oficina de Correos?
2. Los dos primeros días todo fue bien. ¿Qué consiguieron?
3. ¿Qué pasó el tercer día?
4. ¿Cómo reaccionaba la gente?
5. ¿Cómo terminó la historia?
6. ¿Qué te ha parecido la historia?, ¿lógica, divertida, disparatada, interesante, real?

B) Relaciona:

ESPAÑA	ARGENTINA
1. poner un giro	a. encomienda
2. dar carta blanca	b. hacer un giro
3. los sellos	c. el piolín
4. el paquete	d. las estampillas
5. la cuerda	e. dar piedra libre

C) Relaciona estos pares de sinónimos:

1. pariente	a. regalar
2. salario	b. rapidez
3. formularios	c. la gente
4. el público	d. artículo
5. popularidad	e. familiar
6. amonestar	f. sueldo
7. estupefacto	g. fama
8. suelto	h. atónito, sorprendido
9. obsequiar	i. impreso
10. celeridad	j. reñir, reprender

D) Completa las frases con:

ventanilla	cola	impreso	giro
artículo	destinatario	sucursal	parientes

1. Han venido a visitarnos unos _____ que viven en Santander.
2. Ahora trabajo en una _____ del Banco Pacífico, pero pronto me trasladarán a la oficina Central.
3. Ayer apareció un _____ en el periódico hablando de la huelga de Correos.
4. Señora, tiene que ir a la otra _____ para comprar los sellos.
5. Esta mañana he estado hora y media en la _____ del teatro Real para comprar entradas para el concierto.
6. Tengo que ponerle un _____ a mi hijo, se ha quedado sin dinero.
7. Ponga en letra más clara el nombre del _____, por favor.
8. Para enviar la carta certificada tiene que rellenar este _____ .

E) Forma frases con las siguientes expresiones:
    atender al público
    poner un giro
    rellenar un impreso
    negarse a
    empeñarse en

VOY A ABRIR UNA CUENTA.

Cliente:	¡Buenos días!
Empleado:	¡Buenos días! Dígame, ¿qué desea?
Cliente:	Querría abrir una cuenta.
Empleado:	Muy bien, y ¿qué prefiere, cuenta corriente o cartilla de ahorros?
Cliente:	No sé, no estoy muy seguro, ¿podría explicarme exactamente las ventajas que tiene cada una?
Empleado:	Mire, en este momento, las cartillas de ahorros producen un interés bastante alto y Vd. mismo puede llevar la cuenta del dinero que ingresa y que saca. Con la cuenta corriente dispone de un talonario y puede pagar con cheque en caso de que lo necesite, sin tener que llevar dinero encima.
Cliente:	Creo que me voy a decidir por la cartilla de ahorros. ¿Qué tengo que hacer?
Empleado:	Le tomamos los datos, firme aquí, hace usted una imposición mínima y ya se la puede llevar.
Cliente:	¿Y tendré tarjeta de crédito?
Empleado:	Si usted quiere, rellene este impreso y la próxima semana le enviaremos la tarjeta a su dirección.
Cliente:	¿Y no podría mandármela esta misma semana? La necesito cuanto antes.
Empleado:	Haremos todo lo posible, lo llamaré a mediados de esta semana y la tendrá seguramente para el viernes.

Empleado:	Buenos días, señor Barrientos. ¿Qué le trae por aquí?
Sr. Barrientos:	Buenos días. Vengo porque no he recibido del banco la notificación de una cantidad que han ingresado en mi cuenta.
Empleado:	¿Cuánto tiempo hace que le ingresaron el dinero?
Sr. Barreiro:	Hace ya bastantes días, a principios de mes... Veamos... Hoy estamos a 17 ¿no?, pues fue el lunes, día 2.
Empleado:	Espere un momento, voy a mirar... No, aquí no figura. ¿Está seguro de que le han ingresado el dinero?
Sr. Barreiro:	Sí, segurísimo.
Empleado:	Déme los datos y yo averiguaré qué ha pasado con ese dinero. ¿Podría pasarse por aquí o llamar por teléfono mañana sobre las 12?
Sr. Barreiro:	De acuerdo, intentaré pasar y si no, le llamaré.

> **Haremos todo lo posible.**
> **¿Qué le trae por aquí?**

A) Forma frases según los ejemplos.

Ej.: Vivir en Salamanca/ 5 años
    A. ¿Cuánto tiempo hace que vive en Salamanca?
    B. (Hace) 5 años.

    A. ¿Desde cuándo vive en Salamanca?
    B. Desde hace 5 años.

1. Trasladarse a esta ciudad/ en 1988.
2. Esperar el autobús/ 20 minutos.
3. Tener carnet de conducir/ 1 año.
4. Terminar de comer/ un rato.
5. Abrir la cuenta corriente/ el año pasado.
6. Empezar a trabajar en esta empresa/ unos meses.
7. Salir con Rafael/ abril.
8. Ir a Chile/ el verano pasado.

B) Ahora pregunta a tu compañero el tiempo que hace que:
Vive en esta ciudad, conoce a X, vio "E.T.", compró un libro, fue a la playa, escribió un poema.

C) Une las frases usando *en caso de que*.

Ej.: Comprar el coche/ conceder un préstamo.
    Me compraré el coche en caso de que me concedan el préstamo.

1. Llamarte para verte/ ir a Barcelona.
2. Dejar este trabajo/ encontrar otro mejor.
3. Sacar dinero/ necesitar (lo).
4. Hacer ese viaje/ pagar (me).

Ahora repite el ejercicio, cambiando los tiempos:
    Ej.: *Me compraría el coche en caso de que me concedieran el préstamo.*

D) Representa con tu compañero el siguiente juego de roles:

A) Eres el director de un banco.
Para conceder un préstamo hipotecario es necesario presentar una nómina o justificante del sueldo.
También hay que rellenar una serie de impresos.
Normalmente tardan un mes en concederlo.
El interés depende del tiempo de amortización.

B) Te vas a comprar un piso.
Necesitas 10 millones de pesetas y vas a informarte a tu banco donde te ingresan la nómina.
Preguntas el tiempo que tardan en darlo y el interés.

E) Completa las frases con las palabras o expresiones siguientes:

> abrir - cerrar/ cancelar una cuenta corriente o cartilla de ahorros
> (el) talonario de cheques/ la tarjeta
> (el) interés bajo - alto
> producir interés
> ingresar - sacar dinero
> nº de cuenta corriente o cartilla de ahorros
> llevar dinero encima
> pedir - conceder un crédito/ préstamo

1. A. No me gusta_____ .
   B. A mí tampoco, prefiero pagar con _____ .
2. A. Ayer _____ una cuenta en el Banco Continental.
   B. ¿Y qué _____ te produce?
   A. Muy bajo, un 2%.
3. A. Si queremos comprarnos un piso más grande, tenemos que _____ .
   B. Ahora no es buen momento, los intereses están muy altos.
4. A. Si sales, no te olvides de _____ dinero. Con las compras de ayer no nos ha quedado nada.
5. A. ¿Cuál es el _____ de su _____? Lo necesitamos para el crédito.
   B. Es el 00423 - B.
6. Estoy indignado con el banco. Hace 15 días que me _____ un cheque de 5 millones y en el banco todavía no se han enterado.

PARA ESCRIBIR

Barcelona, 12 de febrero de 1991

DNA
Consultores auditores
c/ Alberto Alcocer 30
08002 BARCELONA
Ref. 468

Señores:
   Me dirijo a Vdes. en respuesta al anuncio aparecido en el diario "El Globo" de fecha 10 de febrero del presente año.

   Me llamo Ernesto Larrañaga Gamboa, nací en Bilbao el 5 de mayo de 1965 y mi domicilio actual es c/ Aribau, 72, 2º izda, Barcelona. Adjunto les envío "curriculum vitae".

   El motivo de solicitar esa plaza es que su empresa, al tener ámbito internacional, me ofrece más posibilidades de desarrollo profesional.
   En espera de sus noticias, se despide atte.

Curriculum Vitae
  NOMBRE: ERNESTO LARRAÑAGA GAMBOA
  FECHA DE NACIMIENTO: 5 de septiembre de 1965
  NACIONALIDAD: Española
  ESTADO CIVIL: Soltero
  ESTUDIOS: Licenciado en Ciencias Económicas
  IDIOMAS: Inglés

Datos académicos y de formación profesional
  1987   Licenciatura en la Universidad Central de Barcelona.
               (Adjunto copia del expediente académico).
  1987-1989 Cursos de dirección de Empresa en Londres. Cursos de inglés.
Experiencia profesional
  1989-1991 Adjunto al Director Financiero en ENFERSA.
Aficiones:
  Lectura, natación, aeromodelismo, jazz.

Escribe una solicitud y un "curriculum" para alguno de los siguientes puestos de trabajo:
- Periodista
- Administrativo/a
- Estilista de publicidad.
- Profesor de idiomas.
- O cualquier otro trabajo que a ti te interese especialmente.

PARA ESCUCHAR

A) Escucha a estos cuatro profesionales hablar de su trabajo y relaciona con el nombre.

estilista de publicidad	auxiliar de vuelo	piloto de avión
periodista	meteorólogo	documentalista

B) Contesta poniendo una marca donde corresponda:

1. ¿Quién gana 220.000 pts. al mes?   a   b   c   d
2. ¿Quién selecciona las noticias más interesantes? a   b   c   d
3. ¿Quién tiene las vacaciones repartidas?   a   b   c   d
4. ¿Quién maneja aparatos muy complicados?   a   b   c   d
5. ¿Quién selecciona modelos y objetos bellos?   a   b   c   d
6. ¿Quién se ocupa de aprovisionar los aviones? a   b   c   d
7. ¿Quién no tiene horario ni sueldo fijo?   a   b   c   d

CONTENIDOS COMUNICATIVOS

PEDIR UN SERVICIO	¿Podría mandármelo para mañana?
EXPRESAR TIEMPO APROXIMADO	Sobre las 12/ a eso de las 12. A primeros/ a mediados/ a finales de mes/ año/ siglo.
EXACTO	Estamos a 5 de enero de 1991.

CONTENIDOS GRAMATICALES

• EN CASO DE QUE + SUBJUNTIVO

Todas las condicionales (excepto las de "si", que admiten el Indicativo), rigen el modo subjuntivo:

Ej.: Pediremos el préstamo sólo en caso de que no nos alcancen los ahorros.

El uso de los distintos tiempos del subjuntivo depende de la mayor o menor probabilidad de que la condición se cumpla:

Ej.: Pediríamos el préstamo sólo en caso de que no alcanzaran los ahorros.

• ¿DESDE CUÁNDO...?
¿ CUÁNTO TIEMPO HACE QUE...?

- *¿Desde cuándo...?* sólo podemos utilizarlo con verbos de significado durativo (vivir, estudiar, esperar, conocer, escribir...) en Presente:

Ej.: ¿Desde cuándo trabajas en esta empresa?

- *¿Cuánto tiempo hace que...?* lo empleamos con todo tipo de verbos, durativos o puntuales (morir, llegar, salir, cambiar...), pero, en caso de que el verbo sea puntual, deberá ir en Pretérito Indefinido o Perfecto.

Ej.: ¿Cuánto tiempo hace que te cambiaste de domicilio?

tienes que saber...

EL PERFIL DE LA MUJER DIRECTIVA ESPAÑOLA.

Durante los seis años últimos, la mujer ha empezado a ocupar puestos de alta responsabilidad en nuestro país. Son todavía una minoría, pero con rasgos comunes y un futuro en alza. Una encuesta realizada por la empresa TMC revela que las profesiones de abogado y economista son las más frecuentes entre las directivas españolas que, además, no se consideran discriminadas en el ejercicio de su poder.

Edad: Entre 30 y 40 años.
Estado civil: Casada.
Número de hijos: Uno o ninguno.
Estudios: Universitarios.
Especialidad Profesional: Abogada o economista, preferentemente.
Idiomas: Inglés
Salario : Entre 5 y 10 millones de pesetas anuales.
Tiempo que lleva en el cargo: Menos de 6 años.
Cualidades profesionales: Capacitación, formación, don de mando.
Cualidades personales: Buen nivel de relaciones públicas.
Ideología política: Centro - izquierda.
Tipo de empresa en la que trabaja: Mediana (hasta 1.000 empleados en plantilla).
Cargo que desempeña: Dirección técnica, comercial o administrativa.
Sector donde ejerce su actividad: Servicios, industria y comercio.
Sexo superior jerárquico: Masculino.

Lee los resultados de la encuesta atentamente. Trata de memorizar los datos más importantes y luego responde a las preguntas, sin mirar. Se puede hacer un concurso en la clase, a ver quién recuerda más datos.

1. Las mujeres ejecutivas españolas, ¿suelen ser jóvenes o mayores?
2. ¿Cuánto ganan normalmente al año?
3. ¿Qué idiomas estudian?
4. ¿Tienen muchos o pocos hijos?
5. ¿Trabajan en empresas grandes, pequeñas o medianas?
6. ¿Qué carreras universitarias han cursado, generalmente?
7. ¿Cuáles son los campos más solicitados para su actividad?
8. Explica qué es "capacitación", "formación" y "don de mando".

Madrid

un día en...

MADRID

Palacio Real

Estatua de Vélazquez ante el
museo del Prado

Plaza del Descubrimiento

Gran Vía

Centro de Arte Reina Sofía

TEST 1 (Unidades 1, 2, y 3)

1. No te puedes imaginar _____ que es la novia de mi hermano.
   a) lo bien
   b) lo agradable
   c) lo guapa
   d) lo simpática

2. Como ayer _____ muy tarde del trabajo, tuve que coger un taxi.
   a) he salido
   b) saliste
   c) salga
   d) salí

3. A. ¿Cada cuánto tiempo vas a la peluqueria?
   a) Una vez al mes
   b) Siempre
   c) Todos los años
   d) Dos veces al día

4. Pondría mi dinero a plazo fijo en caso de que me _____ un interés por encima del 12%.
   a) darán
   b) den
   c) dieran
   d) hayan dado

5. Lleva sin dormir desde que vio "El muñeco diabólico", es muy _____.
   a) inseguro
   b) miedoso
   c) cursi
   d) valiente

6. Escuchen, por favor, no _____ su maleta hasta que no hayamos pasado la aduana.
   a) cerrad
   b) cerreis
   c) cierran
   d) cierren

7. A. ¿A qué día estamos hoy?
   B. _____.
   a) Es miércoles
   b) A 5
   c) A miércoles
   d) A mediados de mes

8. Los espectadores aplaudían desde _____ las jugadas de su equipo.
   a) las butacas
   b) los palcos
   c) las gradas
   d) el campo

9. Fue un gran _____, a pesar de que el resultado fuera un empate a cero.
   a) encuentro
   b) deporte
   c) jugador
   d) selección

10. Lolo me propuso que fuera _____.
    a) contigo
    b) consigo
    c) con él
    d) con ella

11. ¿Cuánto tiempo hace que no te _____ el pelo? Lo tienes ya muy largo.
    a) has cortado
    b) cortas
    c) habías cortado
    d) cortabas

12. Sólo piensa en tener cada día más. Es un _____.
    a) envidioso
    b) tacaño
    c) avaricioso
    d) perezoso

13. Este es el asunto _____ quería hablar contigo.
    a) con que
    b) del que
    c) de lo que
    d) de quien

14. A. ¿Podría tenérmelo para mañana?
    B. _____
    a) Sí, para pasado mañana
    b) No, para la tarde
    c) Mejor, venga pasado mañana
    d) Sí, me es imposible

15. Para ingresar dinero en la cuenta, debe _____ este impreso.
    a) rellenar
    b) llenar
    c) escribir
    d) comprar

16. Se ha negado _____ recibirme y no sé por qué.
    a) en
    b) a
    c) –
    d) de

17. A. ¿Qué tal tus nuevos vecinos?
    B. _____
    a) No están en casa
    b) No me hables, todo son problemas
    c) Han alquilado la casa de al lado
    d) No sé cómo están

18. Siempre que _____ por Madrid, voy a visitar algunas galerías de arte.
    a) paso
    b) pasaré
    c) pasaba
    d) pase

19. ¿Desde cuándo _____ a Carmen?
    a) has conocido
    b) conociste
    c) conoces
    d) conocerás

20. Me han devuelto una carta porque no se leía bien el nombre del _____.
    a) remitente
    b) destinatario
    c) empleado
    d) receptor

EN FAMILIA

• *Clase de Escrito y Campo Léxico*

- Ensayo (Los españoles, de Amando DE MIGUEL)

- Vida familiar

• *Contenidos Comunicativos*

- Lástima

- Resignación

- Hipótesis, probabilidad

- Despreocupación, indiferencia

• *Contenidos Gramaticales*

- Es una pena que + Subj.

- Es probable que + Subj.

- Si + Pretérito Imperfecto de Subj./ + Pretérito Pluscuamperfecto Subj. (Condicionales)

• *Contenidos Culturales*

- Familia feliz

- Un día en… Granada

La familia de Carlos IV (Goya, Museo del Prado, Madrid).

ANTES DE LEER

- Como vas a ver a continuación, los españoles pasan muchas horas fuera de casa. ¿Esto es bueno o malo para la familia? Razona tu respuesta. ¿Qué sucede en tu país?

SALIR

«Salir» significa realmente que los españoles se relacionan menos con la familia y más, cada uno de los miembros del hogar, con sus pares, las personas de parecida edad y con mucha frecuencia del mismo sexo. Esta constancia se extiende a los jóvenes e incluso a los adolescentes, quienes reciben mucha influencia de ese grupo de pares y relativamente escasa de los padres y no digamos de los demás parientes. Este hecho se traduce en otro de mayor hondura: muchas familias se mantienen artificialmente unidas, pero no cohesionadas, por razones económicas o de tradición. No sólo los jóvenes no abandonan el hogar paterno, a pesar de que puedan llevarse mal con los padres, sino que los cónyuges pueden no llevarse bien entre sí y no recurren al divorcio. La ley de divorcio en España es sumamente liberal, pero la tasa de divorcios es bajísima. En definitiva, el hogar se ve más como una unidad de organización económica que de administración de los afectos, siempre en valores relativos respecto a lo que ocurre en los países europeos con los que gustamos compararnos. Todavía hay que añadir una tercera forma de fisura familiar: es la que se refiere a la de los otros parientes más o menos lejanos, que pueden vivir en el hogar a pesar de no entenderse bien con los miembros originarios. Se comprende ahora que, en esas circunstancias, el grupo de pares consiga una extraordinaria presencia en la vida cotidiana de los españoles. A ese grupo de parecida edad y condición social se pertenece «saliendo».

Los españoles. A. de MIGUEL

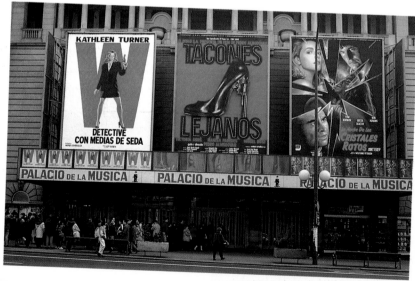

A) Termina las frases según el texto que has leído:

1. "Salir" significa que los españoles se relacionan mucho con _____ .
2. Este comportamiento no es propio sólo de los mayores, sino también de los _____

   y _____ .
3. Los jóvenes reciben mucha influencia de _____.
4. La influencia de sus padres y demás parientes es _____ .
5. Las familias se mantienen unidas por razones _____ y _____ .
6. Los jóvenes no se van de casa aunque _____.
7. Los cónyuges, aunque no se entiendan, no se _____.
8. El número de divorcios en España es _____ .
9. En el hogar es más importante la relación económica que el _____ .
10. El grupo de amigos es muy importante en _____ .

B) Busca en el texto palabras sinónimas a éstas:

1. tratarse, frecuentar
2. componentes
3. semejante
4. a menudo
5. poca
6. se refleja
7. profundidad
8. costumbre
9. dejan
10. el matrimonio
11. el número, el índice
12. cariño

C) Completa los huecos con el nombre de parentesco adecuado:

1. Los padres de mi mujer son mis _____, y yo soy su _____.
2. La mujer de mi hermano es mi _____ y el marido de mi hermana es mi _____.
3. Los hijos de mis hermanos son mis _____.
4. El padre de mi madre es mi _____ y yo soy su _____.
5. Los hermanos de mi padre son mis _____.

D) El verbo "llevar (se)" tiene varios significados diferentes, según el contexto en el que aparece:

-"Transportar una cosa de un lugar a otro":

   Luis lleva a su hija al colegio.

   Este reloj me gusta, me lo llevo.

-"Tener buena relación con alguien":

   Los jóvenes no se llevan bien con sus padres.

- Con participio, "haber realizado o experimentado lo que el participio denota":
     Lleva escritos cincuenta folios.
- Con gerundio, acción que continúa realizándose en el presente:
     Llevo tres horas esperando a Miguel.
-"Expresar diferencia de cantidad en el tiempo o en el espacio".
     El coche de Miguel le lleva 10 minutos de ventaja al de Juan.
-"Ponerse, llevar puesto un vestido, la ropa, o guardar cosas en los bolsillos"
     Pablito, ¿qué llevas en ese bolsillo?

Sustituye en las siguientes frases el verbo "llevar" por otro del recuadro y haz las modificaciones necesarias:

robar	ponerse	acompañar
haber	ser mayor/ menor	comprar
residir		

1. Ya llevamos estudiadas tres lecciones.
2. María le lleva dos años a su hermano.
3. ¿Qué traje vas a llevar a la fiesta?, ¿el gris?
4. A. Bueno, al final ¿qué zapatos le gustan, señora?
   B. Creo que me voy a llevar éstos.
5. ¿Sabes? El domingo entraron ladrones en casa de Paco y se llevaron todas las cosas de valor.
6. ¿Puedes llevarme en coche a la oficina?
7. Lleva viviendo 3 años en la India.

¡QUÉ SE LE VA A HACER !

- Es una pena, una pena, que Pablo no sirva para el negocio -dijo la madre ensimismada-. Si por lo menos fuera algo... Si le hubiéramos dejado estudiar... Este hijo, este hijo...

- No te preocupes, mamá -hizo el consuelo Nieves-. ¡Qué se le va a hacer! A ver si encuentra algo que le guste y se arregla. Además, es probable que no hubiera servido para estudiar.

- Sí, sí, hija mía, pero...

- En todas las familias hay un garbanzo negro, mamá. Ayer me encontré con la de Alegría; pues su hermano, lo mismo que Pablo. Yo ni sé por dónde anda. Lo colocaron en una empresa de Logroño y les alborotó a los obreros. Luego fue a Madrid. En fin, una alhaja. Menos mal que a Pablo no le ha dado revolucionaria.

- Me acuerdo yo -dijo Paulino- que había en el colegio un muchacho muy inteligente y que parecía que iba a triunfar en la vida en cualquier cosa que hiciera. Se llamaba Gálvez, Francisco Gálvez Ugarte. Bueno, pues me lo encontré en Bilbao de cobrador. Me hice el desentendido para no preguntarle nada. Allá cada uno.

- No se sabe, no se sabe cómo acertar -dijo la madre.

Cuentos completos (I)
I. ALDECOA

> **Si por lo menos...**
> **Ser el garbanzo negro/ la oveja negra**
> **Me encontré con la de Alegría.**
> **Le ha dado revolucionaria.**
> **Hacerse el desentendido.**

A) Relaciona:

1. Si me pagaran lo que me deben
2. Si hubieras estudiado durante el curso
3. Si me hubieras escrito
4. Si hubieran publicado la noticia
5. Si tuviera tu edad
6. Si no hubieras comido dulces

a. te habría contestado.
b. yo me habría enterado.
c. ahora comerías la sopa.
d. no tendrías que estudiar ahora.
e. no pediría el préstamo.
f. me haría cargo del negocio.

B) Responde con una hipótesis:

Ej.: *A. Mi hermana ya lleva saliendo con Adrián 3 años y se han comprado un piso.*
   B. ¿Sí ?, entonces es probable que se casen pronto.

1. Venimos de casa de Benita y José y no los hemos encontrado.
2. Andrés ha echado una solicitud de trabajo en Iberia y lo han llamado para una entrevista.
3. Lolita tiene 12 años y toca muy bien el piano
4. Lucía y su sobrina tenían que llegar el día 25 y estamos a 27 y no nos han llamado.
5. El otro día vi a Eugenio y se hizo el desentendido, ni me saludó.

C) En parejas, formad frases condicionales teniendo en cuenta las instrucciones y el ejemplo.

Ej.: A. A ti te gustaría conocer al famoso periodista Fontán.
   B. Ayer estuvo en tu casa.
   A. Me gustaría conocer a Fontán.
   B. Si hubieras venido ayer a mi casa, lo habrías conocido.

1. A. Quieres hacer un viaje, pero no tienes dinero.
   B. Tú sabes que ha ganado mucho, pero no ha ahorrado.

2. A. Te duele la espalda. El médico te recomendó que hicieras ejercicio.
   B. Tú sabes que no ha hecho caso al médico.

3. A. Tú y dos amigos más acabáis de llegar a la ciudad, no encontráis hotel y llamáis por teléfono a un conocido español.
   B. No te han escrito antes.

4. A. Llegaste tarde al examen y has suspendido.
   B. Tú sabes que se levantó muy tarde.

5. A. Son las tres de la tarde y no has hecho la comida para tu familia.
   B. Sabes que A ha estado tomando cañas con los compañeros/ as de trabajo.

D) En parejas, A expresa pena y B resignación como en el ejemplo:

Ej.: A. Ayer varios amigos fuisteis a la final de la copa de Europa. Pedro no pudo.
   B. Pedro tenía un examen.
   A. ¡Qué pena que Pedro no pudiera ir al partido! Fue estupendo.
   B. ¡Qué se le va hacer! Tenía un examen.

1. A. Andrés no se ha colocado en Iberia.
   B. Había muchos candidatos.

2. A. Se le han secado las plantas.
   B. Estuvo un mes de vacaciones, y el portero, que tenía que regarlas, se puso enfermo.

3. A. Tu equipo perdió el domingo pasado.
   B. El portero estaba lesionado.

4. A. Mi hijo no estudia nada.
   B. Tendrá que buscar un trabajo.

5. A. María no podrá venir el próximo fin de semana.
   B. Tiene mucho trabajo, vendrá el mes que viene.

E) Completa las frases siguientes con las palabras y expresiones del recuadro.

colocarse	garbanzo negro	ser algo
no saber cómo acertar	una alhaja	hacerse el desentendido
darle por	servir para	

1. Sus padres quieren que sea juez, pero este chico no _____ estudiar.
2. Dice un refrán que en todas las familias hay un_____.
3. Todos los padres desean que sus hijos _____ en la vida.
4. Ya ha terminado sus estudios y lo que quiere es _____ cuanto antes.
5. Somos amigos desde niños, y ayer pasó por mi lado y _____,
   no sé qué le habrá pasado.
6. Tiene un carácter muy difícil y nunca _____.
7. ¡Vaya _____ ! Ni estudia, ni trabaja, ni hace nada por los demás.
8. Se ha pasado toda la vida queriendo ser músico y ahora _____ la
   pintura.

PARA ESCRIBIR

Escribe una carta a un amigo/a español/a que has conocido este verano en la playa, invitándole a pasar unos días contigo en tu casa. Háblale de tu familia, de tu casa y de las actividades que podréis realizar juntos en caso de que acepte tu invitación.

PARA ESCUCHAR

José Manuel Hernández pertenece a ese grupo de personas que han optado por seguir viviendo bajo el techo familiar en lugar de independizarse.

Escucha y elige la respuesta correcta:

1. José Manuel Hernández Antolín
   a) es notario y abogado.
   b) es notario y registrador de la propiedad.
   c) es registrador.

2. Vive en
   a) un piso grande del barrio de Carabanchel.
   b) un piso grande del barrio de Salamanca.
   c) en un piso en Salamanca.

3. Vive con sus padres y son en total
   a) tres hermanos.
   b) ocho hermanos.
   c) cinco hermanos.

4. Vive en casa porque
   a) le dan techo, comida y ropa.
   b) no tiene un trabajo fijo
   c) sus padres no quieren que se vaya.

5. No tiene novia porque
   a) lleva una vida muy ajetreada.
   b) no tiene tiempo para buscar novia.
   c) no le gusta salir de noche.

6) Lo que más le gusta de vivir en casa es
   a) el cariño de su familia.
   b) la independencia.
   c) la comodidad.

7. a) todos se reúnen en casa.
   b) nadie come en casa.
   c) va a comer el que puede.

8. a) se ve todos los días con su padre.
   b) a veces pasan días sin verse.
   c) no se ven nunca.

9. Tiene la obligación de
   a) entregar dinero en casa.
   b) llegar a casa antes de las doce.
   c) llevar a su padre al aeropuerto.

CONTENIDOS COMUNICATIVOS

EXPRESAR LÁSTIMA	¡Qué pena! Es una pena que no sirva para el negocio.
RESIGNACIÓN	¡Qué se le va a hacer! ¡Qué le vamos a hacer! ¡Así es la vida!
HIPOTÉSIS/ PROBABILIDAD	Es probable que lleguen esta tarde.
DESPREOCUPACIÓN/ INDIFERENCIA	Allá cada uno.

CONTENIDOS GRAMATICALES

• ES UNA PENA QUE/ ES PROBABLE QUE

- ... + verbo en Presente de Subjuntivo, cuando indica acción no terminada y tiempo presente o futuro.

  Ej.: *Es una pena que no venga Juan.*
  Es probable que llame más tarde.

- ... + verbo en Pret. Perfecto de Subjuntivo, cuando indica acción terminada, en relación con el presente.

  Ej.: *Es una pena que no haya venido Juan.*

- ... + verbo en Pret. Imperfecto de Subjuntivo. Tiempo pasado.

  Ej.: *Es una pena que no viniera ayer.*
  Es probable que no llamara porque estaba enfermo.

• CONDICIONALES

- Poco probables o imposibles:
  Si + Pret. Imperfecto de Subjuntivo +Condicional

  Ej.: *Si pudiera, estudiaría piano.*

- Condicionales de realización imposible en el Pasado:
  Si + Pret. Pluscuamp. de Subjuntivo + Condicional Compuesto/ Pret. Pluscuamp.

  Ej.: *Si hubiera podido, habría/ hubiera estudiado piano*

- Condición que no se cumplió en el pasado y cuyos efectos repercuten en el Presente.

  Ej.: *Si hubiera estudiado piano, ahora daría clases.*

FAMILIA FELIZ.

Las familias españolas de hoy tienen poco que ver con las de hace 10 ó 15 años. Vuelve a estar de moda casarse, aunque a una edad más tardía. Hasta que llega ese momento los hijos viven con los padres. Las parejas jóvenes planifican su descendencia detalladamente y el divorcio ha traído consigo la creación de la segunda familia

Casarse vuelve a estar tan de moda que para hacerlo por lo civil hay que soportar largas listas de espera. Tras unos años de profunda crisis en la institución del matrimonio, las últimas cifras oficiales dicen que en estos momentos aumenta considerablemente el número de parejas que deciden pasar por la vicaría o por el juzgado.

En 1975 se celebraron en España 271.347 matrimonios. De éstos, 270.369 decidieron hacerlo por la iglesia católica, 266 por otras religiones y 712 por lo civil.

En 1976 y en los años siguientes el número de matrimonios fue descendiendo vertiginosamente. Hay que tener en cuenta que las circunstancias han cambiado: España ha vivido unos años de transición política y de cambios sociales que se reflejan en las costumbres; la libertad religiosa ya es un hecho y casarse por lo civil comienza a ser algo muy respetable.

A partir del año 1982 la curva comenzó a subir de nuevo, llegándose a celebrar en 1986 más de 203.394 matrimonios. A partir de ese momento, funcionarios vinculados a los registros civiles opinan que cada año ha ido aumentando la cifra, aunque estadísticamente no hay datos.

Por otra parte, la forma de celebrar estas bodas ha cambiado considerablemente. Mientras que hace 10 ó 15 años las parejas preferían hacerlo en la intimidad, en estos momentos se vuelve a la costumbre de celebrarlas por todo lo alto, prescindiendo del poder adquisitivo de los contrayentes. Las novias han recuperado sus trajes blancos con bordados y puntillas y sus ramos de flores, y el convite, los langostinos y las tartas de cinco pisos. Actualmente una boda sin viaje de novios y sin tules ya no es una boda; los años de austeridad han quedado atrás.

Otro de los cambios registrados es que la gente llega al matrimonio con más edad que hace 10 años. Los jóvenes de la década de los setenta estaban ansiosos por dejar de vivir en familia. Soñaban con tener un mínimo trabajo y poder alquilar un apartamento con tres o cuatro amigos para independizarse. Pero en los ochenta las cosas han cambiado. Ahora los jóvenes de clase media y alta no tienen el más mínimo interés por abandonar el hogar paterno. Tienen toda la libertad deseable, ya no hay horarios preestablecidos ni preguntas para saber con quién salen o a qué hora volvieron la noche anterior, y muchos tienen unos sueldos muy decentes que destinan a sus gastos personales. Obviamente, también los hay en paro, pero ésos están excluidos de este reportaje, ya que tienen motivos suficientes para no moverse de casa.

Después de leer, escribe en dos columnas las diferencias fundamentales que hay entre las bodas de los años 75-82 y desde los años 82 hasta ahora. Fíjate especialmente en:

- Descenso o aumento de los matrimonios.
- Edad de los novios.
- La convivencia con los padres.
- Forma de celebrar la boda.

Granada

u **n día en...**

La Alhambra

La Alcaicería

El Generalife

Catedral

SALUD Y DIETA

• *Clase de Escrito y Campo Léxico*

- Novela (El Balneario, de M. VÁZQUEZ MONTALBÁN)

- Dieta, salud, alimentación

• *Contenidos Comunicativos*

- Animar, tranquilizar

- Consejos, Sugerencias

- Frecuencia

- Deseos / Lamentación

• *Contenidos Gramaticales*

- Ojalá + Subj.

- Siempre que + Subj. (Condicionales)

• *Contenidos Culturales*

- Dos cultivos del continente latinoamericano: azúcar y cacao

Consignas saludables.

- ¿Te preocupa la salud especialmente? ¿Conoces alguna dieta de adelgazamiento? ¿Sabes para qué sirven los balnearios?

Salud y dieta.

- Los triglicéridos, un desastre. Desastre relacionado con la subida del azúcar; estar al otro lado de la frontera del colesterol malo, y a este lado del colesterol bueno. No hablemos de los lípidos. Si no se enmienda, es usted una bomba suicida de relojería.

- Sólo he venido a purificarme durante algunos días. Dos semanas de purificación me permitirán otros diez años de pecado.

- Que se cree usted eso. Cuando esté a punto de salir le haremos otro análisis de sangre y todos los índices peligrosos habrán bajado. Pero si vuelve a la mala vida, en tres meses va a estar otra vez al borde del abismo.

- Tenemos conceptos diferentes sobre la vida. ¿Qué opina usted del bacalao al pil-pil?

- ¿Qué es eso?

- Un plato español. Vasco.

- El bacalao será fresco.

- No. Bacalao salado puesto en remojo, guisado con aceite, ajos, removiéndolo para que con la gelatina que desprende la piel se produzca una emulsión.

- Poco aceite.

- Mucho aceite.

- ¡Qué horror!

El doctor Gastein aparta con las manos la tentación del plato imaginario. Parece un modelo masculino de delgada pulcritud consecuencia de la medicina vegetariana, enmarcado por la ventana abierta de par en par a la paz silente del jardín subtropical del valle del Sangre.

El balneario
M. VÁZQUEZ MONTALBÁN

A) Termina las frases según el texto:

1. El médico considera malo para la salud _____.
2. El paciente, por el contrario, sólo quiere pasar _____ en el balneario para después _____.
3. El médico le augura que si al salir _____, dentro de poco tiempo _____.
4. El paciente y el médico tienen conceptos diferentes de la vida. Para el primero, "vivir bien" consiste en _____ y para el segundo, _____.
5. ¿Qué provoca en el médico la descripción del plato "bacalao al pil-pil"?
   Señala todas aquellas palabras o expresiones que se refieren a los efectos negativos de la alimentación.
   Por ej.: Es un desastre.
6. Estos rótulos aparecen expuestos por todo el balneario. ¿Te parecen pueriles, lógicos, eficaces? Coméntalos con tus compañeros.

MASTICA INCLUSO EL AGUA

TU CUERPO ES TU MEJOR AMIGO

LA DIETA: UNA MODA PARA ALARGAR LA VIDA

NO HAY DIETAS MÁGICAS, PERO TAMPOCO HAY PÍLDORAS MÁGICAS

DENTRO DEL FRIGORÍFICO ESTÁ TU PEOR ENEMIGO

PIENSA COMO SI ESTUVIERAS DELGADO Y ACTÚA COMO TAL

LA COMIDA EXCESIVA ES UNA DROGA DURA

B) Completa el cuadro. Si es necesario, consulta el diccionario.

ADJETIVO	VERBO	SUSTANTIVO
gordo	engordar	gordura
delgado	_____	_____
viejo	_____	_____
bello	_____	_____
joven	_____	_____
feo	_____	_____
sano	_____	_____
puro	_____	_____

C) ¿Cómo andas de dietética?. Escribe una lista de alimentos, clasificados según su riqueza nutritiva:

1. Alimentos especialmente ricos en proteínas.
2. Alimentos especialmente calóricos.
3. Alimentos particularmente ricos en vitaminas.
4. Algunos alimentos ricos en elementos minerales.

D) Lee el artículo sobre la siesta y responde:

LA SIESTA ES UNA NECESIDAD BIOLÓGICA

Un número considerable de estudios, con métodos que van desde el registro de ondas cerebrales hasta el apunte minucioso de períodos de somnolencia, ha conducido a la sorprendente conclusión de que hay una gran predisposición biológica al sueño durante la primera mitad de la tarde, incluso en personas que han dormido sin problemas una noche completa. Las siestas que tienen efectos saludables son las que duran alrededor de 30 a 90 minutos.

Para hacer estas pruebas, las personas fueron reunidas a una misma hora en un sótano y sin relojes que les permitieran saber si era de día o de noche. Siguiendo sus propios ritmos, estos individuos dormían en dos períodos: un sueño largo durante la noche y otro corto, de dos o tres horas, por la tarde.

Según Roger Broughton, profesor de Neurología de la Universidad de Otawa, "este estudio ofrece la primera conclusión de que la siesta es un proceso generado intermitentemente por el cerebro, como una parte más del reloj biológico que regula los ciclos de sueño y vigilia".

Tras la siesta, la mejora en las capacidades de atención y de rapidez en las decisiones es notable en el caso de personas que no han dormido lo suficiente la noche anterior. En quienes han descansado lo suficiente, el principal beneficio es la mejoría del humor y del ánimo.

	V	F
1. Las personas que han dormido mal durante la noche tienen predisposición a dormir la siesta.		
2. Lo mejor es dormir entre 30 y 90 minutos de siesta.		
3. Los que hicieron la prueba dormían sobre todo por la tarde.		
4. El único beneficio de la siesta es la mejoría en la capacidad de atención.		
5. El profesor Broughton dice que la siesta responde a un proceso interno del cerebro.		

- ¿Qué piensas de la siesta?, ¿es beneficiosa o crees que es una pérdida de tiempo? En los países cálidos es normal dormir la siesta y como consecuencia el horario de trabajo es diferente en verano que en invierno. ¿Ocurre lo mismo en tu país?

NO ME ENCUENTRO BIEN

Juan: Te veo últimamente muy delgado y tienes muy mala cara, Ángel, ¿Te encuentras mal?.

Ángel: Es el estómago, me duele mucho, hago mal la digestión y además estoy muy débil y he perdido el apetito.

Juan: ¿Y cómo no has ido al médico?, no deberías dejarlo.

Ángel: Estuve la semana pasada y mañana me dan el resultado de los análisis, estoy nerviosísimo. A lo mejor me tienen que operar.

Juan: Anímate y no te preocupes, ya verás como no es nada.

Ángel: Ojalá no fuera nada, no las tengo todas conmigo.

Médico: Pase y siéntese, ya tenemos aquí el resultado de los análisis.

Ángel: ¿Y bien?... ¿doctor?.

Médico: Tranquilícese, no es nada importante, una ligera gastritis. Se pondrá bien siempre que haga lo que voy a decir. En la receta tiene anotado lo que debe tomar, unas pastillas tres veces al día, antes de las comidas; un día sí y otro no tiene que ponerse unas inyecciones, además no tome grasa ni comidas picantes, y sobre todo, procure no ponerse nervioso en el trabajo.

Ángel: ¿Y si me duele el estómago?

Médico: Ya verá como con estas pastillas ya no le duele. Vuelva dentro de 15 días para ver cómo sigue

Ángel: Muchas gracias, doctor. Adiós.

Médico: Adiós.

> **No las tengo todas conmigo.**

A) Tu compañero está preocupado. Anímalo y tranquilízalo.

> Ej.: Ha perdido la cartera con toda la documentación.
> *Anímate, no te preocupes, ya verás cómo la encuentras.*

1. Su novia lo ha dejado. Él está muy enamorado.
2. Se lleva muy mal con su jefe. Piensa que puede perjudicarlo.
3. Ha terminado sus estudios y lleva dos meses buscando trabajo.
4. Su coche nuevo se le ha averiado y no encuentra una pieza de recambio.
5. Ha recibido una carta de su familia y le dicen que su madre está algo enferma.

B) Formula deseos ante estas situaciones con "Ojalá...". Para ver el tiempo del verbo correcto, consulta el resumen gramatical.

> Ej.: Mi hijo es inteligente, pero no es muy constante.
> *¡Ojalá fuera más constante!*

1. A un amigo su empresa le paga un safari fotográfico por África. Te gustaría estar en su lugar.
2. Es probable que vengan a pasar unos días contigo unos amigos que no has visto desde hace tiempo, pero están pendientes del visado.
3. Ayer hubo una conferencia sobre política internacional y no pudiste asistir. Fue muy interesante.
4. Juan ha suspendido cinco asignaturas porque no ha estudiado nada en todo el curso.
5. Mañana se celebra el sorteo de la Cruz Roja. Tienes varias papeletas, pero se han vendido muchísimas.
6. Tienes posibilidades de que te asciendan en el trabajo, pero todavía no es seguro.

C) Contesta a las preguntas y pon una condición de las del cuadro.

> Ej.: A. ¿Vienes esta tarde conmigo de compras?
> B. *Sí, siempre que salga temprano de la oficina.*

hacer lo que te diga el médico	arreglar el coche
devolver antes del examen	dar tu dirección
venir a recogerme	

1. A. ¿Vd. cree que podré volver a trabajar pronto?
   B.

2. A. ¿Iremos a Salamanca este fin de semana?
   B.

3. A. ¿Puedes prestarme tu libro de gramática?
   B.

4. A. ¿Me escribirás cuando estés en París?
   B.

5. A. ¿Irás mañana a las pruebas de Fórmula 1?
   B.

PARA ESCUCHAR

Escucha estas tres conversaciones en el restaurante y trata de completar lo que falta.

1. Camarero: ¡Buenos días!
   Sres. Rodero: _____.
   Camarero: ¿A nombre de quién?
   Sr. Rodero: _____.
   Camarero: Un momento...

   Camarero: Lo siento mucho, señor, en este momento no tenemos ninguna mesa libre, tendrán ustedes que esperar.
   Sr. Rodero: _____
   _____
   _____.

   Camarero: Sí, pero según nuestros cálculos, tendría que quedar libre la número 8, y todavía no han terminado de comer.
   Sr. Rodero: _____

   Camarero: Sí señor, tiene usted razón, pero ya le he dicho que la culpa es nuestra, además, yo le aseguro que no tendrán que esperar mucho. Si lo desean, pueden pasar al bar a tomar algo, por cuenta de la casa, por supuesto.
   Sr. Rodero: _____.
   Camarero: No más de 15 minutos, ya están en los postres.
   Sr. Rodero: _____.
   Camarero: Por allí, a la derecha.

2 Pepi: ¡Qué frío hace aquí!, ¿no?

Juan: Sí, parece que tienen el aire a toda marcha. Voy a decirle algo al camarero. ... ¡Camarero!.

Camarero: ¿Sí?.

Juan: _____.

Camarero: Pues lo siento, pero ya está al mínimo.

Juan: _____.

Camarero: Pues sí, así es, la verdad es que no va muy bien, enfría demasiado. Pero si lo quitamos, con el calor que hace, la gente protesta.

Juan: _____.

Camarero: Bueno, quizás si se ponen en aquella mesa de allí, más lejos del aparato, no tendrán frío.

Juan: _____.

3. Pepi: ¡Esto no se puede tomar!

Juan: _____.

Pepi: El gazpacho, se les ha ido la mano en el vinagre. ¡Camarero!, por favor.

Camarero: ¿Sí?

Pepi: _____

_____.

Camarero: Efectivamente, señora, parece que ha sido un error del cocinero. El problema es que todo el gazpacho que tenemos está igual. ¿Quiere que le traiga la carta y escoge otro primer plato? Por cuenta de la casa, por supuesto.

Pepi: _____

_____.

Camarero: En seguida, ahora se la traigo.

CONTENIDOS COMUNICATIVOS

ANIMAR, TRANQUILIZAR	Anímate/ anímese. Tranquilízate/ tranquilícese. Ya verá como no es nada. Ya verá como todo se arregla.
CONSEJOS/ SUGERENCIAS	Debes/ deberías ir al médico. ¿Cómo no vas al médico?
FRECUENCIA	Un día sí, y otro no.
DESEOS/ LAMENTACIÓN	¡Ojalá llegara pronto!. ¡Ojalá hubiera llegado a tiempo!.

CONTENIDOS GRAMATICALES

• OJALÁ

- Para expresar deseos para el futuro:
   1. Ojalá + Presente de Subjuntivo, cuando el cumplimiento del deseo es bastante probable.
      Ej.: *Ojalá me salga bien el examen.*

   2. Ojalá + Pret. Imperfecto de Subjuntivo, cuando el deseo es poco probable o imposible que se cumpla.
      Ej.: *Ojalá me saliera bien el examen, porque he estudiado poquísimo.*
      Ojalá me tocara ese viaje al Caribe que sortean en el supermercado.

- Para expresar lamentación. El cumplimiento del deseo ya es imposible.
   1. Ojalá + Pret. Pluscuamperfecto.
      Ej.: *Ojalá hubiera asistido a esa reunión.*
      Ojalá hubiera vivido su padre.

• CONDICIONALES

- *Siempre que* + Presente de Subjuntivo o Pret. Imperfecto de Subjuntivo, indica una condición indispensable para que se cumpla la acción de la oración principal
   Ej.: *Haré ese trabajo siempre que me lo paguen bien.*
      (Es probable que se cumpla la condición).

      Haría ese trabajo siempre que me lo pagaran bien.
      (Es poco probable que se cumpla la condición, y, por tanto, la acción del verbo principal).

DOS CULTIVOS DEL CONTINENTE LATINOAMERICANO: AZÚCAR Y CACAO.

EL AZÚCAR.

Casi todo el azúcar que se consume en el mundo procede, fundamentalmente, de Cuba y Brasil.

Cuba se mantiene desde hace más de medio siglo a la cabeza de los países productores de azúcar, gracias sobre todo a sus condiciones geográficas y climáticas. A diferencia de otras islas, Cuba no tiene muchos accidentes geográficos: las regiones montañosas se localizan en los extremos de la isla, dejando amplias zonas de tierras onduladas y valles llanos, con subsuelo calizo, idóneos para el cultivo de la caña.

Por otro lado, las lluvias, que suman de 100 a 180 cm³ anuales, y que se dan en la larga estación que comprende de abril a principios de diciembre, facilitan el crecimiento exuberante de los tallos y las hojas. En la estación fría y seca, desde principios de diciembre hasta abril, maduran las cañas y se eleva el contenido de azúcar. Es el momento de la recolección. La caña se corta y se carga en camiones para transportarlas a las estaciones de ferrocarril, y desde allí, en tren, llega a las centrales azucareras.

A) Después de leer, responde:

1. ¿Qué meses comprenden las estaciones húmeda y seca? ¿En qué estación se recolecta la caña de azúcar?
2. ¿Qué condiciones hacen que Cuba sea uno de los primeros países productores de azúcar?

EL CACAO.

El cacao es oriundo de América. Es una planta verdaderamente tropical. Las regiones en las que se cultiva están todas situadas entre los trópicos y a 1000 metros de altitud, como mínimo.

En Brasil, la mayor parte del cacao proviene del distrito lluvioso de la costa de Bahía. Allí, los suelos son arcillosos, las temperaturas medias anuales están comprendidas entre los 25° y 27° grados centígrados, y las lluvias sobrepasan los 200 cm^3 anuales. Todos estos factores garantizan que los rendimientos sean muy elevados. El cacao se transporta en ferrocarriles y a través de los ríos hasta los puertos fluviales más cercanos, en los que es recogido por vapores de cabotaje que lo llevan hasta Bahía, principal punto exportador del cacao brasileño.

Otras zonas productoras de cacao son la región del Caribe, (donde las plantaciones suelen situarse cerca del mar, en las laderas bajas de los valles o en las llanuras del aluvión), América Central, (en las que grandes compañías han establecido cacaotales en plantaciones antes dedicadas al banano) y Ecuador, en la llanura de Guayaquil, aunque últimamente ha entrado en crisis este cultivo debido a las plagas.

B) Después de leer, responde:
1. Enumera las condiciones idóneas para el cultivo de cacao.
2. Explica el camino que sigue el cacao en Brasil.

PARA ESCRIBIR

¿Cuál es el principal producto de tu país?. Escribe unas 10 ó 15 líneas hablando de él.

VIAJAR

• *Clase de Escrito y Campo Léxico*

- Diario (Alcancía. Ida, de Rosa CHACEL)

- Viajes, medios de transporte

• *Contenidos Comunicativos*

- Ponerse de acuerdo para hacer algo

- Hipótesis

- Fastidio

- Aconsejar, opinar

• *Contenidos Gramaticales*

- Mientras + Indicativo (Temporales)

- Es mejor + Infinitivo

- Es mejor + que + Subj.

- Lo más seguro es que + Subj.

- Quedar en (que) + Indicativo

• *Contenidos Culturales*

- Panorama de México

En la estación de Chamartín (Madrid).

- ¿Has viajado alguna vez en barco?, ¿cuándo?, ¿adónde? ¿Te gustaría hacer una larga travesía? ¿por dónde? ¿Encuentras interesantes los viajes en general? ¿Por qué?

En el barco.

Sábado 20

Me decido a escribir porque, como no llueve, se puede estar en cubierta, aunque el mar sigue muy fuerte y el viento fenomenal, pero hay aquí un lugarcito muy a propósito: unas sillas cómodas y detrás un biombo de lona.

Perfectamente… En el mismo momento en que me instalo entre varias sillas -a la griega- aparece un oficialito, silbando, abre una puertecita que queda a unos dos metros, deja de silbar y se pone a escribir a máquina, con la puerta abierta. ¿Qué hago? ¿lo dejo o aguanto?. Intentaré lo segundo.

Pero lo malo es que lo segundo produce lo tercero. Yo me puse a escribir porque el mar está maravilloso y nos sigue un bando de gaviotas, algunas de una belleza increíble. Son de dos castas, unas pequeñas, de pecho blanco, y otras grandes, pardas y con un perfil de cabeza muy tosco. Me había propuesto escribir sobre estas cosas, pero aparece el ciudadanito este y me asaltan torrentes de ideas sobre la necesidad de soledad del escritor, que es su conflicto social más insoluble.

Domingo 21

Debíamos haber llegado a Montevideo a primera hora de la mañana, pero son las diez y no se ve tierra. El mar sigue muy fuerte y la noche ha sido atroz. Parece ser que durante todo el viaje traemos el viento en contra, así que el movimiento es de proa a popa, y cuando el barco levanta el rabo salta uno hasta el techo. Para mí delicioso.

Sábado 1º de junio.

Anoche celebraron el paso de la línea. Dos damas con oficialitos y damas "vestidas". Naturalmente, a mí no se me invitó porque voy entre los emigrantes. Ya me figuré algo de esto cuando me dijeron en la agencia que los españoles, en todo caso, seamos o no emigrantes, pagamos menos. En el primer momento no me desesperé, porque como me dieron una cabina para mí sola, esto llenaba todas mis ambiciones....

Tanto el hombre de la agencia como Luisa Elena -ésta, con presión suplicante- me recomendaron que una vez en el barco hiciera una gestión para que me cambiasen a otra clase. Me aseguraban que lo habría conseguido dando dos o tres mil pesetas. Dije que sí, que lo haría, pero no pensé hacerlo ni un minuto, por dos razones. Una, porque no tengo ropa como para estar entre gente decente. Otra, porque prefiero llegar a Río con seis mil pesetas. No sospecho lo que puedo encontrar: las últimas cartas eran deplorables.

Alcancía. Ida.
R. CHACEL

A) Agrupa las palabras y frases que aparecen en el texto relacionadas con:
- el barco
- el estado del mar.

B) Resume en dos o tres líneas, cada uno de los fragmentos de este diario.

C) En cuanto a la autora del diario:
- De estos adjetivos de carácter, ¿cuáles crees que le corresponden?

sociable	impaciente
solitaria	educada
romántica	individualista
cursi	grosera
calculadora	soberbia

D) Coloca cada una de las palabras del recuadro en un espacio en blanco.

viento	flota	anclada	barco	claro
tranquilo	zarpar	camarotes	gaviotas	popa
cubierta	costa	olas	atracado	puerto

Durante los últimos días, la _____ pesquera ha permanecido _____ en el puerto, a causa del mal tiempo. El _____ soplaba muy fuerte y a poca distancia de la _____ había _____ de más de 6 metros de altura. Hoy, por fin, el día ha amanecido _____ y el mar está tan _____ que parece una balsa. El capitán de un _____ de pasajeros que había _____ en el pequeño _____ de pescadores, ha aprovechado la mejoría del tiempo para _____. Todos los viajeros han abandonado sus _____ y han subido a _____ para pasear de proa a ____ _____. El sol brilla y a lo lejos se oyen volar las _____.

E) ¿Cuántos nombres de tipos de embarcaciones conocéis en español?.
   Escribid una lista entre varios compañeros.

PARA ESCRIBIR

Acabas de volver de un viaje por España. Escribe una carta a un/a español/a, contándole las peripecias del viaje.

   - En el control de la policía olvidaste una bolsa.
   - Perdiste el avión que tenías que coger.
   - En el avión siguiente no había plazas en la clase turística y te dieron primera clase.
   - Al llegar a tu país, tu equipaje no había llegado.

¿EN QUÉ QUEDAMOS?

Aurora: Ahora que tengo un rato, voy a acercarme a la estación a por los billetes.
Borja: Sí, pero ¿para cuándo?, ¿para el jueves o para el viernes?
Aurora: ¿Aún no os habéis puesto de acuerdo?, pero ¿no estuviste ayer con Ana?
Borja: Sí, pero no quedamos en nada, ella no sabía a qué hora terminaba Alejandro el jueves.
Aurora: ¡Vaya, hombre! Bueno, pues mientras yo voy un momento al banco, llamas a Alejandro y luego me dices qué habéis decidido.

Aurora: Ya estoy de vuelta, ¿qué hacemos por fin?
Borja: Hemos quedado en que es mejor que nos vayamos el jueves en el exprés que sale a las 10.30 de la noche, así estamos allí por la mañana y aprovechamos todo el viernes.
Aurora: Entonces tendremos que ir en litera, porque cualquiera aguanta toda la noche sentado. Y encima, a ver si tenemos suerte y vamos todos en el mismo compartimento.
Borja: Deja de refunfuñar y vete a la estación.
Aurora: Ahora no voy, ya se me ha hecho tarde. Iré después de comer, cuando abran la taquilla. A estas horas, lo más seguro es que haya mucha gente y me tire una hora en la cola.
Borja: Mira, haz lo que quieras. ¡Vaya día que tienes hoy!

> **Tengo un rato.**
> **Ya estoy de vuelta.**
> **Cualquiera aguanta.**
> **… y encima …**
> **Me tiré una hora (en la cola, por ej.)**

A) En parejas. Ante una noticia de A, B formula una hipótesis y la justifica.

> Ej.: A. Concha ya no estudia
> B. Se ha puesto a trabajar, necesitaba dinero.
> *A. ¿Sabes? Concha ha dejado de estudiar.*
> *B. ¿Sí? Lo más seguro es que se haya puesto a trabajar porque necesitaba dinero.*

1. A. Silvia ya no fuma.
   B. Se lo ha prohibido el médico, tosía mucho.
2. A. Rosa ya no viene a la cafetería de siempre.
   B. Ya no vive en este barrio, quería irse a vivir al centro.
3. A. Juanjo ya no da clases particulares.
   B. Trabaja en algún colegio, gana más.
4. A. Ignacio no me habla desde hace unos días.
   B. Se ha enfadado, por lo que le dijiste en la última reunión.
5. A. Andrés ya no va a los conciertos de los viernes.
   B. Tiene que trabajar por la tarde, tiene jornada partida.

B) En parejas. Estáis planeando una actividad y tenéis que poneros de acuerdo ya y tomar una decisión.

> A. Llevar la comida o comer en un restaurante.
> B. Comer en un restaurante para no trabajar tanto.
> *A. Bueno, ¿qué hacemos, llevamos la comida o comemos en un restaurante?*
> *B. Yo creo que es mejor que nos llevemos la comida porque así no trabajamos tanto.*

1. A. Salir el sábado por la noche o el domingo.
   B. El sábado porque el domingo no hay que madrugar.
2. A. Alquilar un apartamento o ir a un hotel.
   B. Alquilar un apartamento porque sale más barato.
3. A. Pedir aumento de sueldo ahora o dentro de un mes, en enero.
   B. Dentro de un mes, ya se habrá hecho balance.
4. A. Irnos o esperar a Ana y Víctor.
   B. Esperar, dijeron que vendrían, seguro.
5. A. Dejar a los niños con una canguro o llevárselos a los abuelos.
   B. Dejarlos con una canguro, así dormirán en casa.

C) "ESTA ES LA TUYA", tarjeta joven de Renfe.

Trabajas en una oficina de información y te preguntan sobre la "Tarjeta Joven". Completa el diálogo.

Joven: Buenas tardes, venía a preguntar detalles sobre la Tarjeta Joven de Renfe.
Inf.: Sí, es una tarjeta que ha salido nueva para viajar por España a mitad de precio del billete normal.
Joven: ¿Sirve para todo tipo de transporte?
Inf.: _____.
Joven: ¿La puedo utilizar cuando quiera y donde quiera?
Inf.: _____.
Joven: ¿Y vale también para el extranjero?
Inf.: _____.
Joven: ¿Es muy cara?
Inf.: _____.
Joven: ¿Dónde puedo conseguirla?
Inf.: _____.
Joven: Gracias.
Inf.: _____.

ESTA ES LA TUYA

RENFE
MEJORA TU TREN DE VIDA

PARA ESCUCHAR

Antes de escuchar la cinta:
- Observa los símbolos meteorológicos y su denominación.

Despejado

Nubes
y claros

Cubierto

Lluvia

Chubascos

Tormenta

Heladas

Niebla

Nieve

Llovizna

Viento

Marejada

Margruesa

- Repasa la situación geográfica de las Comunidades Autonómas españolas.
Mientras escuchas la cinta, toma notas y después di a qué mapa corresponde la información meteorológica que has oído.

setenta y cinco

EL TIEMPO

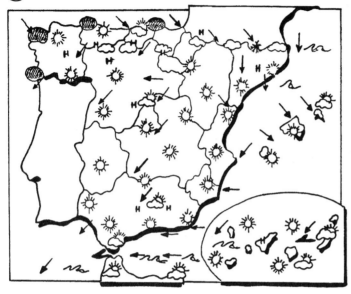

Ⓐ

Cantábrico y Galicia _____.

Aragón, Navarra y la Rioja _____

_____.

Cataluña _____.

Castilla y León _____

_____.

Castilla- La Mancha y Extremadura ____

_____

_____.

Ⓑ

Área de Madrid_____

_____.

Murcia y C. Valenciana _____

_____.

Andalucía _____

_____.

Baleares _____

_____.

Canarias _____

CONTENIDOS COMUNICATIVOS

PONERSE DE ACUERDO PARA HACER ALGO	Quedamos en vernos el viernes.
HIPÓTESIS	Lo más seguro es que haya mucha gente.
FASTIDIO	¡Vaya hombre! ¡Vaya día que tienes hoy!
ACONSEJAR/ OPINAR	Es mejor que comas en casa.

CONTENIDOS GRAMATICALES

• MIENTRAS + INDICATIVO

- En frases que indican simultaneidad de las acciones en el presente, pasado o futuro próximo:
   Ej.: *Mientras tú llamas a Andrés, yo voy a comprar las entradas del fútbol.*

• ES MEJOR + INFINITIVO

- Sin sujeto.
   Ej.: *Es mejor salir temprano.*

• ES MEJOR QUE + SUBJUNTIVO

- Con sujeto.
   Ej.: *Es mejor que salgamos temprano.*
   Es mejor que hayan salido temprano
   Es mejor que los niños no estuvieran aquí anoche, la escena fue muy desagradable.

• LO MÁS SEGURO ES QUE + SUBJUNTIVO.

   Ej.: *Lo más seguro es que no estuvieran en casa.*

• QUEDAR EN QUE + INDICATIVO

- Mismo sujeto.
   Ej.: *Quedaron en venir a las 5, son las 6 y todavía no han venido.*
   Quedaron en que vendrían (ellos).

- Distinto sujeto.
   Ej: *Quedamos en que Juan y vosotros vendríais en el coche y nosotros en la moto.*

MÉXICO

Antes de leer:
- ¿Recuerdas o sabes el nombre de alguna ciudad de México?
- ¿Qué comidas mexicanas conoces?

PANORAMA DE MÉXICO.

Los Estados Unidos Mexicanos son una República Democrática, Representativa y Federal.

El territorio está dividido en 31 estados y el Distrito Federal, que es la capital de la República Mexicana.

México ocupa el quinto lugar en extensión territorial en América, despues de Canadá, E.E.U.U., Brasil y Argentina.

El idioma oficial es el español, aunque aún se conservan lenguas y dialectos indígenas. Existe libertad de culto, predominando la religión católica.

PAÍS DE CONTRASTES.

México ofrece atractivos contrastes: los altos volcanes nevados; los desiertos del Centro y Norte de la República; las altas cordilleras que recorren el territorio; múltiples playas con arenas blancas y diversas tonalidades de mar; extensos valles, bosques y selvas; ríos y cascadas. Su variedad de zonas y climas hace posible la proliferación de una rica fauna y flora.

Las zonas arqueológicas, más de 11.000, los conventos, catedrales y residencias de la época colonial, el estilo francés del s.XIX, la pintura mural del s.XX y la arquitectura contemporánea a la altura de la mejor del mundo dan un panorama del proceso cultural mexicano.

El Castillo (Chichén Itza)

EL MEXICANO.

Conocer al mexicano es toda una experiencia, ya que es alegre, hospitalario, ingenioso, efusivo, poco formal y despreocupado. Es una persona desorganizada pero altamente creativa.

El mexicano tiene su propio concepto del tiempo, es frecuente escuchar un «ahorita» o «al ratito», medidas indefinidas de minutos, días o nunca. Se podría decir que México es el país de lo inesperado.

IMPUESTOS Y PROPINAS.

Los extranjeros no están exentos del pago del IVA (15%) en restaurantes, bares, servicio de hotel, etc. La propina por el servicio no está incluida, por lo que se suele dejar una cantidad adicional que va de un 10% a un 15% por este concepto.

MONEDA, BANCOS,TIPO DE CAMBIO.

La unidad monetaria es el peso mexicano, sin moneda fraccionaria.

Los bancos trabajan de 9,00 a 13,30 horas de lunes a viernes.

La compra y venta de moneda extranjera se puede efectuar también en las casas de cambio, que tienen un horario de 8,30 a 18,00 horas de lunes a sábado.

La mayoría de los establecimientos ubicados en las grandes ciudades y zonas turísticas aceptan dólares, aunque a un precio menor del que pagan los bancos o las casas de cambio. Se sugiere cambiar el dinero en las ciudades grandes. En los principales establecimientos comerciales, hoteles y restaurantes, se aceptan tarjetas de crédito internacionales como American Express, Diners y Visa.

HOTELES.

La máxima categoría es Gran Turismo (GT), seguida de una clasificación de estrellas que va de cinco a una. En general, las poblaciones pequeñas sólo cuentan con hoteles de baja calidad, por lo que se recomienda pernoctar en ciudades cercanas que brinden un mejor servicio (no se recomiendan hoteles inferiores a 3 estrellas).

escubriendo...

GASTRONOMÍA.

La cocina es uno de los capítulos más deliciosos de unas vacaciones en México. Sus orígenes se remontan al período prehispánico, a las llamadas culturas del maíz, ya que este cereal es la base de muchos platos, como las tortillas. Hay tortillas de maíz de todos los colores, desde el beige al azul, y se comen de diferentes maneras. Las TOSTADAS son tortillas fritas en grasa. Las tortillas rellenas de carne, queso o pollo se llaman ENCHILADAS si se hacen al horno y TACOS si se fríen. El CEVICHE es un pescado en escabeche para abrir boca. Los CHILES EN NOGADA son pimientos rellenos de carne, nueces, pasas y frutas, cubiertos con salsa de nuez, y así muchas otras delicias, imposibles de explicar. El famoso tequila se toma con sal y limón o mezclado en cóctel como el Margarita.

CIUDADES COLONIALES.

Las ciudades coloniales de México son auténticas joyas. Construidas entre 1519 y 1821, constituyen con su encanto uno de los mayores atractivos del país para los visitantes. Muchas han sido declaradas monumento nacional para preservar su belleza. Aunque tienen todas las comodidades modernas, la vida en estas ciudades permanece casi como en siglos pasados: todavía es posible pasear en coche de tiro por calles empedradas.

TAXCO es uno de los centros mundiales de la plata. La iglesia de Santa Prisca de Taxco es una de las más hermosas del país. OAXACA es una de las ciudades más exóticas del país. CUERNAVACA, con su clima primaveral, atrae los fines de semana a los habitantes de Ciudad de México. SAN LUIS DE POTOSÍ, SAN MIGUEL DE ALLENDE, PUEBLA, GUANAJUATO, son otras de las joyas coloniales.

Oaxaca

Museo Antropológico (México D.F.)

En grupos de 4: de dos en dos, preparad preguntas respecto al texto, que los otros tienen que contestar. Se puede preguntar acerca de:
- la geografía
- el carácter de los mexicanos
- la comida
- las propinas
- la moneda
- las principales ciudades mexicanas

Ej.: A. *¿Qué diferencia hay entre las ENCHILADAS y los TACOS?*

En grupo: redactad un folleto parecido al que habéis leído sobre vuestra ciudad/país. Fijaos en el vocabulario empleado para describir la geografía e intentad utilizarlo en vuestro texto también.

TEST 2 (Unidades 4, 5 y 6)

1. A. ¡Qué tozudo es Ángel! Se niega a sacarse el carnet de conducir y le es imprescindible para su trabajo.
   B. _____
   a) ¡Qué lata!
   b) ¡Así es la vida!
   c) ¡Allá él!
   d) ¿Qué le habrá pasado?

2. Es una pena que los mejores programas de TV los _____ a las tantas.
   a) ponen
   b) pondrán
   c) hayan puesto
   d) pongan

3. ¡Ojalá _____ más prudente, siempre está metiendo la pata!
   a) fuera
   b) sea
   c) esté
   d) será

4. De acuerdo, saldrás todas las noches, pero siempre que te _____ a tu hora , por las mañanas.
   a) levantas
   b) levantes
   c) levantaras
   d) hayas levantado

5. Pensaron que era mejor que _____ la boda en la intimidad.
   a) celebraría
   b) se celebra
   c) se celebre
   d) se celebrara

6. A. Me he olvidado de sacar la carne del congelador y ahora no tenemos qué comer.
   B. _____, hoy que tenemos prisa.
   a) ¡Es una pena!
   b) ¡Qué raro!
   c) ¡Vaya hombre!
   d) Comeremos fuera.

7. Creo que mi hija ha elegido bien, mi mujer y yo estamos muy contentos con nuestro _____.
   a) nuero
   b) yerno
   c) suegro
   d) ahijado

8. ¡Qué _____ se ha puesto! No parece el mismo.
   a) gordo
   b) delgado
   c) bajo
   d) alta

9. ¡Dios mío! Me parece que no llegamos, ya están anunciando _____ de nuestro tren.
   a) el despegue
   b) la salida
   c) la llegada
   d) la despedida

10. Si le _____ más publicidad a la feria, seguro que habría asistido más gente.
    a) habrían dado
    b) diera
    c) hubieran dado
    d) han dado

11. Si te hubieras tomado las pastillas, ahora no _____ mareado.
    a) estás
    b) estuvieras
    c) hubieras estado
    d) estarías

12. A. ¿Dices que ha estado aquí mi _____ Anselmo?
    B. Sí, mujer, el marido de tu hermana Reme.
    a) primo
    b) tío
    c) hermano
    d) cuñado

13. La mayoría de _____ son para adelgazar.
    a) los alimentos
    b) las dietas
    c) los deportes
    d) las pastillas

14. A. ¿Sabes si ha salido Antonio del hospital?
    B. _____
    a) Sí, sale mañana
    b) No sé, es probable que salga hoy
    c) Sí, ya habrá salido
    d) No, seguro que está en su casa

15. "Perder el apetito" significa:
    a) no tener ganas de salir
    b) querer tomar sólo cosas dulces
    c) no tener ganas de comer
    d) tener mucha hambre

16. Debió de ser un espectáculo fascinante. ¡Ojalá _____ allí para verlo!
    a) estuviéramos
    b) estemos
    c) estuvimos
    d) hubiéramos estado

17. Todos los barcos de la costa Cantábrica están _____ a causa de una fuerte tormenta.
    a) aparcados
    b) anclados
    c) parados
    d) en alta mar

18. Cuando tarda mucho en llegar el metro, _____ se llena de gente y resulta peligroso.
    a) la cubierta
    b) la pista
    c) el andén
    d) el pasillo

19. Es muy probable que el Parlamento _____ la nueva ley de Seguridad Ciudadana.
    a) aprobará
    b) apruebe
    c) aprobara
    d) ha aprobado

CONTAR LA VIDA

• *Clase de Escrito y Campo Léxico*

- Textos periodísticos (datos autobiográficos de Nuria ESPERT, Jaime GIL DE BIEDMA y Plácido DOMINGO)

- Datos personales y profesionales

• *Contenidos Comunicativos*

- Cortar una conversación

- Interesarse por alguien

- Transmitir información

- Transmitir órdenes

• *Contenidos Gramaticales*

- Estilo Indirecto

- Uso de "al cabo de…, más tarde, dentro·de, etc."

• *Contenidos Culturales*

- La Independencia·de América Latina (I)

- Un día en… Caracas

Ante un álbum familiar.

ANTES DE LEER

-"Vivimos en un mundo que glorifica la juventud. Personalmente pienso que la vida es hermosa toda ella". ¿Cuántos años crees que tiene el autor de la frase? ¿Estás de acuerdo con lo que dice?.

Ahora vas a leer la vida de tres importantes artistas españoles: una actriz, un poeta y un cantante de ópera. Después de leerlas, ¿sabrías de quién es la frase anterior? ¿Por qué?

 Autobiografías.

NURIA ESPERT.

P. *Naces en un barrio obrero de Barcelona. ¿Cuándo sientes la llamita del teatro?*

R.Sí, nací en Hospitalet de Llobregat. Mis padres eran trabajadores, él carpintero y ella trabajaba en una fábrica. Ambos hacían teatro de aficionados y se conocieron representando Tierra Baja, de Guimerá. En esta obra aparece una niña llamada Nuri y yo me llamo Nuria por ese papelito. Cuando yo nazco comienzan los problemas de todo tipo y mis padres dejan de hacer teatro; pero me traspasan esa afición. Y ahí me tienes, con tres o cuatro años diciendo versos por todas partes: en el bar, en el colmado, en las fiestas del 18 de julio cuando íbamos con los obreros de la fábrica en el camión a la playa. Yo era la estrellita. A los once años me dieron un papelito que representaba en el teatro Romea dos veces por semana. A los dieciséis años me dieron un papel de criadita y me convertí en actriz. No me gustaba nada, lo hacía para ganar dinero y porque mis padres estaban separados -aunque vivíamos todos en la misma casa, ya que no había suficiente dinero para trasladarse a otra- y yo veía que eso era lo único que nos unía y hacia que saliéramos juntos los domingos. Ahora pienso que por eso me rebelé, porque yo quería ser bailarina y terminar mi bachillerato en el colegio del barrio, pero fui dócil. Quizá porque comencé no queriendo ser actriz, he llegado ahora, a los cincuenta y tres años, con esta pasión tan enconada por mi trabajo.

ELLE

Jaime Gil de Biedma.

«Nací en Barcelona en 1929 y aquí he residido casi siempre. Pasé los tres años de la guerra civil en Nava de la Asunción, un pueblo de la provincia de Segovia en donde mi familia posee una casa, a la que siempre acabo por volver. La alternancia entre Cataluña y Castilla, es decir: entre la ciudad y el campo -o, para ser más exacto, entre la vida burguesa y la "vie de chateau"-, ha sido un factor importante en la formación de mi mitología personal. Estudié Derecho en Barcelona y Salamanca; me licencié en 1951. Desde 1955 trabajo en una empresa comercial. Mi empleo me ha llevado a vivir largas temporadas en Manila, ciudad que adoro y que me resulta bastante menos exótica que Sevilla, porque la entiendo mejor. Me quedé calvo en 1962; la pérdida me fastidia pero no me obsesiona -dicen que tengo una línea de cabeza muy buena-. Gano bastante dinero. No ahorro. He sido de izquierdas y es muy probable que siga siéndolo, pero hace ya algún tiempo que no ejerzo.»

Diario 16

PLÁCIDO DOMINGO.

Mis padres fueron estrellas en la escena musical. Eran cantantes de zarzuela. Ésa es la razón por la que encuentro la música tan maravillosa. Grabaré cualquier tipo de melodías si descubro que tienen valor. No se puede conseguir que la gente ame la ópera directamente, sin más. Así que tienes que buscar otras vías. Pero nunca caeré en la estupidez. La ópera es el momento de la verdad. Para mí, la más importante de las artes.

Mi madre fue mi primera profesora. Nací en Madrid en 1941. Cuando tenía ocho años mis padres se trasladaron a México.

Comencé estudios de piano e hice apariciones en papeles de niño con su compañía de zarzuela. A los dieciséis años, mi voz había cambiado y el resultado fue asombroso. Parecía que iba a ser un tenor lírico. También a los dieciséis años me casé con una estudiante de piano y nació nuestro hijo José.

Mi carrera comenzó en México en 1959, cuando fui aceptado en la Ópera Nacional. En 1961, fui invitado para cantar Arturo en Lucia Di Lammermor con Joan Sutherland en la Ópera Cívica de Dallas. Por aquel entonces, me había divorciado de mi primera esposa. Más tarde me casé con Marta Ornelas. Con el tiempo nos convertimos en padres de dos hijos, Plácido Jr. y Álvaro. En 1967 debuté en Viena y en ¿1968? en el Metropolitan Opera de Nueva York. Mi trayectoria me produce una satisfacción total.

Blanco y Negro

(Reproducido con autorización de ABC - Blanco y Negro, de Madrid)

A) Completa las frases siguientes según los textos:

Sobre Nuria Espert:
1. La actriz se llama Nuria por _____

_____.
2. Cuando _____ tres o cuatros años, la actriz _____ por
todas partes.
3. _____ le dieron un papelito en el Teatro Romea que _____
dos veces por semana.
4. Al principio no le gustaba trabajar de actriz, lo hacía _____
5. El teatro era lo único que _____ a toda la familia.

Sobre Jaime Gil de Biedma:
1. J. Gil de Biedma nació en Barcelona, pero su familia _____ __.
2. Su _____ le ha obligado a vivir _____ en Manila.
3. Sevilla le resulta _____ que Manila.
4. Quedarse calvo le _____, pero no le _____.

Sobre Plácido Domingo:
1. Los padres de Plácido Domingo eran _____.
2. Plácido Domingo _____ a estudiar piano y a actuar _____.
3. Cuando _____ dieciséis años, _____ la voz y se _____
_____ con una estudiante de piano.
4. Su _____ empezó cuando fue aceptado en la Ópera Nacional de México.
5. En 1967 _____ en Viena y en 1968 en el Metropolitan Opera de Nueva
York.

B) En el texto de Gil de Biedma, busca un sinónimo para cada una de estas palabras:

vivir
tener
trabajo
molesta

C) ¿Qué paralelismos encuentras entre la vida de Nuria Espert y la de Plácido Domingo?

D) Relaciona a cada artista con una ciudad importante de su vida.

E) El texto que sigue es el comienzo de una de las obras maestras de la literatura en lengua española. Fíjate en la riqueza plástica, por ejemplo, de la descripción que hace el escritor de las personas y cosas, que en el último párrafo parece que estén vivas, por obra y gracia del imán.

Muchos años después, frente al pelotón de fusilamiento, el coronel Aureliano Buendía había de recordar aquella tarde remota en que su padre lo llevó a conocer el hielo. Macondo era entonces una aldea de veinte casas de barro y cañabrava construidas a la orilla de un río de aguas diáfanas que se precipitaban por un lecho de piedras pulidas, blancas y enormes como huevos prehistóricos. El mundo era tan reciente, que muchas cosas carecían de nombre, y para mencionarlas había que señalarlas con el dedo. Todos los años, por el mes de marzo, una familia de gitanos desarrapados plantaba su carpa cerca de la aldea, y con un grande alboroto de pitos y timbales daban a conocer los nuevos inventos. Primero llevaron el imán. Un gitano corpulento, de barba montaraz y manos de gorrión, que se presentó con el nombre de Melquíades, hizo una truculenta demostración pública de lo que él mismo llamaba la octava maravilla de los sabios alquimistas de Macedonia. Fue de casa en casa arrastrando dos lingotes metálicos, y todo el mundo se espantó al ver que los calderos, las pailas, las tenazas y los anafes se caían de su sitio, y las maderas crujían por la desesperación de los clavos y los tornillos tratando de desenclavarse, y aun los objetos perdidos desde hacía mucho tiempo aparecían por donde más se les había buscado, y se arrastraban en desbandada turbulenta detrás de los fierros mágicos de Melquíades.

Cien Años de Soledad
Gabriel GARCÍA MÁRQUEZ

1. ¿Cómo era Macondo?, ¿dónde estaba situado?
2. ¿Por qué las cosas no tenían nombre?
3. ¿Cómo presentó Melquíades el imán?
4. ¿Cómo reaccionaba la gente?
5. En el texto aparecen varias palabras formadas con el prefijo negativo DES-. En la siguiente lista, deduce primero el verbo positivo de donde deriva y luego el sustantivo correspondiente:

1. Desenclavarse	clavar (se)	clavo
2. Desconocer	_____	_____
3. Desabrochar	_____	_____
4. Desordenar	_____	_____
5. Desocupar	_____	_____
6. Desatascar	_____	_____
7. Desenterrar	_____	_____
8. Deshacer.	_____	_____

PARA ESCRIBIR

En grupos. Elegid un personaje famoso de la vida artística de vuestro país y redactad su vida. Podéis buscar información en los periódicos, revistas, etc.

¿QUÉ HA SIDO DE ÉL?

Esther: Carmen, ¿te falta mucho para terminar?

Carmen: No, ya acabo, espera un momento y nos vamos juntas.

Esther: Tenía muchas ganas de hablar contigo. ¿A que no sabes a quién me encontré anteayer?…A Inés, la madre de Javier Sierra.

Carmen: ¿Ah sí?, ¡ qué buen chico !. Lástima que fuera tan mal estudiante. Y ¿qué ha sido de él?.

Esther: Inés me contó que, después de repetir tercero, lo habían mandado a EE.UU. un año, para que hiciera allí el COU, que como iba bastante mal, así, por lo menos, aprendería inglés.

Carmen: ¿Y en América, qué tal le fue?

Esther: Regular. Se fue a finales de julio y al cabo de tres meses se tuvo que volver porque se encontraba mal. Luego resultó que no tenía nada, simplemente que no quería estar allí. Así que a los quince días de llegar lo convencieron para que volviera y acabó el curso.

Carmen: Oye, pero, ¿qué hora es? Dios mío, las dos, te dejo, dentro de media hora los tengo a todos en casa a comer.

Esther: Espera, mujer, sólo un momento; hemos quedado en vernos la semana próxima, me preguntó si sabía algo de ti y me dijo que te llamara…

Carmen: Vale, no sé si podré... pero, bueno, esta tarde te llamo.

Los tengo a todos en casa.

A) Relaciona

1. Estamos en Mayo y el verano empieza
2. Nos fuimos a Barcelona en el 85 y volvimos a Bilbao
3. Hoy es 28 de abril, la fiesta del trabajo se celebra
4. Se le estropeó el televisor el lunes y se le volvió a estropear
5. Empezó a trabajar en octubre, pero cerraron la fábrica
6. Hoy ya no nos da tiempo, terminaremos este ejercicio

c. al cabo de tres días.
b. el próximo día.
c. al mes siguiente.
d. dentro de tres días.
e. a los dos años.
f. el mes que viene.

B) Carmen recibió hace unos días una carta de su amiga Irene. Hoy ha quedado con Carlos y le cuenta lo que Irene decía en su carta. Cuenta tú en Estilo Indirecto el contenido de la carta.

> *Bilbao, 12 de diciembre de 1.991*
>
> *Querida Carmen:*
>
> *¿Qué tal por ahí? Como te prometí, te escribo para contarte cómo me va mi nuevo trabajo. Por ahora estoy contenta porque estoy aprendiendo muchas cosas nuevas. Mi jefe es muy eficaz, pero exigente con todos nosotros, y a veces tengo que trabajar hasta tarde. Los compañeros también son bastante amables. De momento, me han hecho un contrato por dos años, y no sé si me lo renovarán, depende de lo que ocurra estos dos años.*
>
> *Con la casa he tenido mucha suerte, he encontrado enseguida una habitación en un piso compartido con otras chicas, y está bastante bien.*
>
> *Bueno, espero que me escribas y me cuentes cómo os van las cosas por ahí. Si ves a Carlos, dale recuerdos de mi parte y dile que cuando vaya a Madrid lo invitaré a comer al Restaurante Pedro. Dile también que me escriba o mándame su dirección para escribirle yo.*
>
> *Sin más, me despido con un abrazo*
>
> *Irene*

C) Relaciona:

1. Es tardísimo, me tengo que ir.
2. Dale recuerdos a tu madre de mi parte .
3. ¡Que paséis un buen verano!
4. Bueno, te dejo, todavía no he comprado el pan.
5. Ten cuidado con la carretera.
6. ¿Por qué no quedamos para cenar un día de éstos?

a. Gracias, igualmente.
b. Yo también me voy, me falta la carne.
c. Sí, mamá, no te preocupes.
d. Gracias, se los daré.

e. Espera un momento, que te apunto el teléfono.
f. Vale, el jueves por la noche nos llamamos.

PARA ESCUCHAR

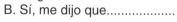

Escucha los diálogos y completa:

A. ¿En qué quedasteis?
B. Dijo que ....

A. ¿Qué te dijo ayer el médico?
B. ....

A. ¿No te explicó Andrés cómo podíamos llegar?
B. Sí, me dijo que....................

A. ¿Qué te ha pasado en el pelo?
B. Pues mira, resulta que me encontré a Pili y me dijo que...........................

CONTENIDOS COMUNICATIVOS

CORTAR UNA CONVERSACIÓN	Bueno, te dejo,.......
INTERESARSE POR ALGUIEN	¿Y qué ha sido de él?
TRANSMITIR INFORMACIÓN	Me dijo que estaba muy cansado.
TRANSMITIR ÓRDENES	Me dijo que la llamaras.

CONTENIDOS GRAMATICALES

• **ESTILO INDIRECTO**

Me dijo/contó que   *Juan estaba enfermo*
                        había estado en Mallorca
                        estaría en casa a las diez
                        iba a salir un momento

Me dijo/ordenó que   *te diera recuerdos*

• **TIEMPO QUE SEPARA DOS ACCIONES**
-En el pasado
Al cabo de ..../..............más tarde/ a............

    Ej.: S*e fue a EE.UU.y volvió al cabo de dos meses/*
       dos meses más tarde/ a los dos meses.

Al día
mes   siguiente
año
A la semana

    Ej.: *Llegó en abril y al mes siguiente se marchó*

- Tiempo que separa una acción presente, pasada o futura de otra futura

El año/mes/semana | próximo
                  | que viene

Dentro de | un mes
          | dos años....

Un mes / dos años | después
                  | más tarde
    Ej.: *Llegó el lunes y se marchará el lunes próximo.*

• **A LOS.....= cuando tenía...**
    Ej.: *Juan, a los 8 años ya sabía tocar el piano perfectamente.*

LA INDEPENDENCIA AMERICANA (I)

La inestabilidad política y social en los territorios de América Latina, que durante tres siglos habían sido regidos por la Corona española, comenzó a partir de 1.780 con una serie de revueltas. La más famosa de todas fue de tipo social y estaba encabezada por Tupac Amaru. En ella se puso de manifiesto la rebeldía latente en el mundo indígena, a la vez que se sembró la inquietud entre la sociedad de Venezuela y Nueva Granada, ya que estaba amenazada no sólo la dominación española, sino también la de los criollos que explotaban la mano de obra indígena.

El movimiento de Tupac Amaru fue derrotado a causa de la alianza entre peninsulares y criollos. Tupac Amaru fue condenado a muerte y ejecutado en mayo de 1.781.

En los años siguientes se produjeron otras revueltas y motines como protesta contra los impuestos en diversos lugares de Perú, Colombia y Venezuela, y la situación se agravó, de manera que se puede decir que en 1.810 comienza la verdadera lucha por la emancipación.

Los factores que contribuyeron a la expansión de las ideas de Independencia son varios:

En primer lugar, el poder económico -cada vez mayor- de los criollos (españoles nacidos en América), terratenientes, propietarios de minas, y últimamente dedicados al comercio, que se sienten relegados por la presencia de autoridades de la metrópoli en las altas jerarquías coloniales.

En segundo lugar, la influencia de las ideas revolucionarias procedentes de Francia y de América del Norte.

Y, por último, el vacío de poder que se produce en la Península durante la invasión de las tropas napoleónicas.

En parejas. Formulad preguntas acerca del texto para que las responda vuestro compañero. Utilizad:
¿Cuándo...? / ¿En qué año.....?
¿Quién....?
¿Por qué...?

Caracas

u n día en....

CARACAS

Catedral

Arquitectura moderna

Monumento a los próceres de la independencia

Panteón Nacional

Vista nocturna en Madrid.

LA GRAN CIUDAD

• *Clase de Escrito y Campo Léxico*

- Ensayo (Memoria del fuego, de E. GALEANO)

- Tráfico, el coche, averías

• *Contenidos Comunicativos*

- Recriminar, pedir explicaciones

- Disculparse y responder

- Sentir, lamentar

• *Contenidos Gramaticales*

- Perdona que + Subj.

- Siento + Infinitivo

- Siento que + Subj.

- Como si + Pretérito Imperfecto de Subj.

- Expresión de la consecuencia

• *Contenidos Culturales*

- La Independencia de América Latina (II)

- Comenta con tus compañeros el título: ¿de qué crees que va a hablar el texto que sigue? ¿Crees que todo el mundo puede triunfar en la vida?

TAMBIÉN USTED PUEDE TRIUNFAR EN LA VIDA

El camino de la felicidad ya no conduce solamente a las praderas del Oeste. Ahora es también el tiempo de las grandes ciudades. El silbato del tren, flauta mágica, despierta a los jóvenes que duermen la siesta pueblerina y los invita a incorporarse a los nuevos paraísos de cemento y acero. Cada huérfano andrajoso, prometen las voces de sirena, se convertirá en próspero empresario si trabaja con fervor y vive con virtud en las oficinas o las fábricas de los edificios gigantescos.

Un escritor, Horatio Alger, vende estas ilusiones en millones de ejemplares. Alger es más famoso que Shakespeare y sus novelas circulan más que la Biblia. Sus lectores y sus personajes, mansos asalariados, no han dejado de correr desde que bajaron de los trenes o de los buques transatlánticos. En la realidad, la pista está reservada a un puñado de atletas de los negocios, pero la sociedad norteamericana consume masivamente la fantasía de la libre competencia y hasta los cojos sueñan con ganar carreras.

Memoria del fuego. E. GALEANO

A) Encuentra las frases donde se expresan estas ideas:

1) Cualquier joven pobre trabajando mucho puede llegar a ser un gran hombre de negocios.

2) Sólo unos cuantos hábiles y con capacidad para los negocios lo conseguirán.

B) En el primer párrafo hay una serie de expresiones que aluden al atractivo que tienen las grandes ciudades para los jóvenes. Agrúpalas.

En el segundo párrafo, por el contrario, hay otras que contrastan con lo anterior. Señálalas.

C) Resume en una sola frase la intención del autor.

D) Muestra acuerdo o desacuerdo con el autor y da tu opinión. ¿Crees que esta situación se da en otras partes del mundo, fuera de Nueva York?

E) Busca en el texto las palabras o expresiones equivalentes a las siguientes:

1. Harapiento.
2. Cantos que atraen al que los oye.
3. Rico, poderoso.
4. De modo ejemplar.
5. Comercia con esperanzas.
6. Trabajadores dóciles.
7. Un grupo, unos pocos.

F) Lee esta carta al director de un periódico.

Mejorar los transportes públicos.

Los graves problemas de tráfico, los deficientes transportes públicos y la escasez de infraestructuras adecuadas han convertido la ciudad en un caos. No es un capricho el demandar constantemente más y mejor transporte público, sino una necesidad cada día más imperiosa, pues, de no tomar medidas que frenen el uso del vehículo privado, estaremos irremisiblemente condenados a soportar aumentos de jornada, problemas auditivos, respiratorios, nervios, etc.

Para conseguir que el ciudadano no utilice irracionalmente el vehículo privado es necesario ofrecerle contrapartidas: transporte colectivo rápido, seguro, confortable; lugares donde poder dejar el coche sin problemas y con garantías, etc. Lógicamente, esto se consigue con inversiones, priorizando acciones en favor del transporte colectivo que garantiza rapidez: metro, tren de cercanías, etc.

Las asociaciones de vecinos vienen trabajando desde hace mucho tiempo por la mejora del transporte y, por tanto, del tráfico en nuestras ciudades y accesos. Entre otras muchas acciones y campañas, se han llevado a cabo recogidas de firmas, referéndum sobre el tráfico en la ciudad el pasado mes de marzo, etc.

Ahora se ha lanzado la jornada "Un Día sin Coches". Los objetivos de esta campaña son hacer partícipes a todos los ciudadanos en la solución del grave problema del tráfico, demostrar que el transporte público en la urbe y pueblos de la región no es suficiente para cubrir las demandas existentes y que los ciudadanos utilizarían el transporte público si fuera mejor, rápido, barato, cómodo, etc.

Queremos invitar a participar en este proyecto a todos los particulares, asociaciones, sindicatos, instituciones, partidos políticos y medios de información. Por ello, nos dirigimos a todos ustedes en demanda de apoyo a esta jornada que se celebrará el próximo 24 de mayo. **Daniel García y cien firmas más de un colectivo de vecinos de los barrios periféricos.**

Completa las frases según el texto:

1. Los problemas de tráfico han convertido la ciudad en un_____.
2. Si no se toman medidas, las consecuencias serán:_____.
3. La alternativa al coche privado consiste en utilizar_____.
4. Los firmantes proponen_____.
5. Los objetivos de la Campaña son tres: hacer partícipes a todos los madrileños en la solución del problema, _____.

PARA ESCRIBIR

En grupos, pensad en algunos problemas que tienen las grandes ciudades: contaminación, delincuencia, drogas, falta de zonas verdes, ruidos. Escoged uno, el que más os interese, y elaborad un escrito dirigido al periódico en el que conste:

- Exposición del problema.
- Posibles consecuencias a corto y largo plazo.
- Alternativa y posibles soluciones.
- Justificación de éstas.

¿ES QUE NO MIRA POR DÓNDE VA?

Isabel: ¿Cómo es que llegas tan tarde? Podrías haberme avisado de que no ibas a venir hasta las 8.

Pedro: Lo siento, de verdad, teníamos una reunión a las 5 y ha durado casi tres horas. Yo pensaba que íbamos a terminar antes.

Isabel: Bueno, no importa…

Pedro: Pero, ¿qué hace ése?…

…

¡Oiga!, ¿es que no mira por dónde va?

… : La culpa es suya, que va conduciendo como si fuera solo por la calle, ha frenado tan bruscamente que no me ha dado tiempo…

Pedro: Vaya, encima que me da, me echa a mí la culpa. He frenado porque el semáforo iba a ponerse rojo…

… : Pero si nos daba tiempo de sobra para pasar.

Pedro: Mire, tengo mucha prisa y no puedo seguir discutiendo. Tenga mis datos y déme Vd. los suyos y el seguro se encargará de todo…

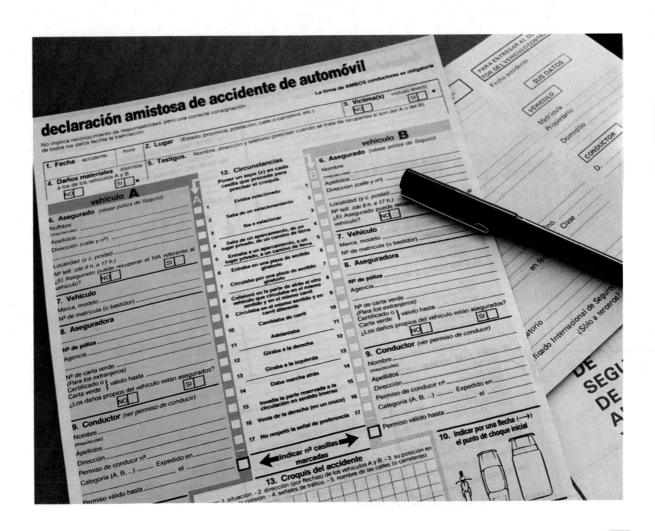

EN EL TALLER

Pedro:	¡Emilio!
Emilio:	Hombre, Pedro, ¿qué tal?, ¿qué te ha pasado?
Pedro:	Nada importante. Ayer, que me paré en un semáforo y uno que venía embalado me dio por detrás. Pero lo que quería explicarte es que hace unos días noto un ruido raro al arrancar.
Emilio:	¿Sólo al arrancar o también al pisar el acelerador?
Pedro:	No, sólo al principio, luego ya no.
Emilio:	Entonces debe de ser cosa de la correa del ventilador. Le echaré un vistazo. ¿Algo más?
Pedro:	No, ¿cuándo me lo tendrás?
Emilio:	Pues estoy a tope de trabajo, procuraré tenértelo dentro de 10 días.
Pedro:	Pero es muchísimo. Sabes que necesito el coche para el trabajo, no puedo estar sin él.
Emilio:	Bueno…, hoy es jueves… pásate el miércoles, a ver si puedo hacer un hueco.
Pedro:	Haz lo posible, hombre.
Emilio:	Descuida, haré lo que pueda.

Hay tiempo de sobra.   Echaré un vistazo.
Estoy a tope.   Hacer un hueco.

A) En parejas, A pide disculpas y B quita importancia.

Ej.: A. Llegas tarde. La conferencia ha durado tres horas.
     B. Quitas importancia.
     A. *Perdona que llegue tarde, pero la conferencia ha durado tres horas y no lo sabía.*
     B. *No importa, no te preocupes.*

1. A. No le has devuelto el libro que te prestó, no lo encuentras.
   B. No te corre prisa.
2. A. No le has recogido a la hora que habíais quedado. El coche no arrancaba.
   B. No tienes nada importante que hacer.
3. A. Llamas a las 12 de la noche a un amigo y marcas el número de otro amigo.
   B. No podías dormir.
4. A. Le has dicho cosas desagradables, estabas nervioso.
   B. Lo comprendes.

B) Pide disculpas e inventa una excusa para cada una de estas recriminaciones:

1. ¿Cómo es que no has sacado dinero del banco?
2. Son las 10 de la mañana, ¿cómo es que llega tan tarde?
3. Podrías haberme avisado de que ibas a venir unos días a Madrid, ¿no?
4. Es tardísimo, ¿cómo es que todavía no has hecho la comida?

C) Forma frases con "como si…"

Ej.: No me conoce de nada, me trata como un amigo.
     Me trata como si me conociera de toda la vida.

1. No es rico y gasta mucho dinero.
2. No entiende nada de fútbol y habla mucho sobre fútbol.
3. No es el jefe del negocio y trabaja mucho.
4. Ya no tiene 18 años y viste de jovencita.
5. No tiene hijos y está todo el día hablando de la educación.

PARA ESCUCHAR

A continuación, vas a escuchar unas recomendaciones que hay que tener en cuenta cuando el coche tiene una avería. Escúchalas y escoge la respuesta adecuada o complétala.

1) Si no quiere que su coche lo deje tirado…
   a) debe saltarse las revisiones periódicas.
   b) debe llevarlo al mecánico una vez al año.
   c) debe cuidar el motor.

2) Si la garantía ha vencido…
   a) la reparación será en un taller oficial de la marca.
   b) debe preguntar a sus amigos.
   c) la reparación será gratuita.

3) Si un amigo le recomienda un taller…
   a) no hace falta conocer al mecánico.
   b) hay que explicarle bien al mecánico los problemas de funcionamiento.
   c) el mecánico comprobará los fallos.

4) En el presupuesto deberá figurar:

   _____

   _____ -

   _____

   _____

   _____

5) Al pagar…
   a) debe pedir una factura.
   b) debe pagar las piezas sustituidas.
   c) debe pedir una rebaja.

CONTENIDOS COMUNICATIVOS

RECRIMINAR/ PEDIR EXPLICACIONES	Podrías / Podías haberme… ¿Cómo es que… ?
DISCULPARSE Y RESPONDER	Lo siento…/ Perdona que… No importa/ No te preocupes
CONDOLENCIA	Siento que no puedas venir a la boda

CONTENIDOS GRAMATICALES

• PERDONA QUE + SUBJUNTIVO

Ej.: *Perdona que llegue tan tarde.*
Perdona que no te haya llamado.

• SIENTO + INFINITIVO

Ej.: *Siento llegar tan tarde.*

• SIENTO QUE + SUBJUNTIVO

Ej.: *Siento que no hayas aprobado el examen.*
Siento que no vengas.

• COMO SI + IMPERFECTO DE SUBJUNTIVO
O PLUSCUAMP. DE SUBJUNTIVO

Ej.: *Conduces como si fueras un corredor de Fórmula 1.*
John habla español como si hubiera nacido en España.

• EXPRESIÓN DE LA CONSECUENCIA

TAN + Adjetivo/ Adverbio.
Ej.: *Este chico es TAN alto QUE no cabe por la puerta.*
Escribe TAN mal QUE no se le entiende nada.

Verbo + TANTO.
Ej.: *Estudia TANTO QUE siempre aprueba con sobresaliente.*

TANTO/ A/ OS/ AS + Sustantivo.
Ej.: *Tiene TANTO dinero QUE no sabe en qué gastarlo.*

Tienes que saber...

LA INDEPENDENCIA AMERICANA II

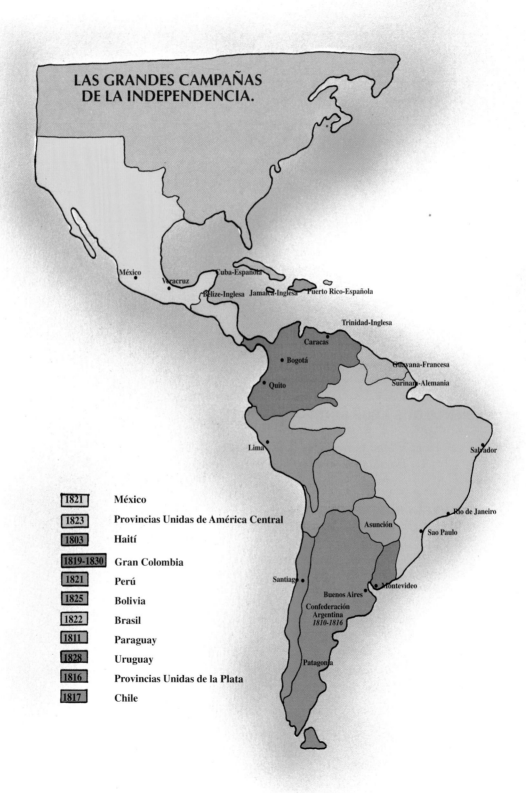

LAS GRANDES CAMPAÑAS DE LA INDEPENDENCIA.

México

Veracruz

Cuba-Española

Belize-Inglesa   Jamaica-Inglesa   Puerto Rico-Española

Trinidad-Inglesa

Caracas

Bogotá

Guayana-Francesa

Quito

Surinam-Alemania

Lima

Salvador

Río de Janeiro

Asunción

Sao Paulo

Santiago

Montevideo

Buenos Aires

Confederación
Argentina
1810-1816

Patagonia

1821	México
1823	Provincias Unidas de América Central
1803	Haití
1819-1830	Gran Colombia
1821	Perú
1825	Bolivia
1822	Brasil
1811	Paraguay
1828	Uruguay
1816	Provincias Unidas de la Plata
1817	Chile

descubriendo...

Durante los años 1816 y 1817 el impulso revolucionario parecía detenido, sin embargo, 1818 marcó el comienzo del movimiento decisivo para alcanzar la independencia.

En México, Agustín de Iturbide, militar criollo que había contribuido al aplastamiento de Morelos, se convirtió en el nuevo jefe que derrotó a las fuerzas españolas. Se firmó el Tratado de Córdoba e Iturbide proclamó la independencia. Sin embargo, una rebelión encabezada por dos antiguos compañeros suyos le derrocó, y tuvo que abandonar el país. En este momento se delimitaron las fronteras de Guatemala, El Salvador, Honduras y Costa Rica, que formaron una confederación denominada Provincias Unidas de América Central.

Por su parte, en la Gran Colombia, en 1816 Simón Bolívar decretó la libertad de los esclavos e incorporó a los temibles jinetes de los llanos a la revolución. Con ellos se apoderó de los accesos al Orinoco y tomó Angostura (Venezuela), donde estableció la capital revolucionaria.

En 1817 Bolívar cruzó con sus tropas la cordillera de los Andes y, en sucesivos encuentros, derrotó a los españoles, tras lo cual entró triunfante en Bogotá. Posteriormente lanzó una ofensiva contra las regiones venezolanas, venció en la batalla de Carabobo y entró en Caracas, donde fue proclamado Libertador. Más tarde, el territorio de la actual Panamá se liberó de los españoles y se incorporó a la Gran Colombia.

Poco después, A. José de Sucre, uno de los generales de Bolívar, destruyó las posiciones realistas en Pichincha (Ecuador) y liberó la región de Quito y su puerto de Guayaquil (Ecuador).

En Chile, José de San Martín, un general formado militarmente en España, planificó la campaña destinada a liberar definitivamente Chile y expulsar a los realistas de Lima. En julio de 1821 se apoderó de Lima y proclamó la independencia de Perú, a pesar de que aún estaba controlado en parte por el ejército español, y fue investido por los limeños con el título de Protector.

Fue en diciembre de 1824 cuando Sucre logró en Ayacucho (Perú) la victoria final para la independencia hispanoamericana.

Monumento a Bolívar. Caracas

En parejas. Formulad preguntas acerca del texto para que las responda vuestro compañero. Utilizad
¿Cuándo…?/ ¿En qué año…?
¿Quién…?
¿Por qué…?

descubriendo...

ARTE Y ESPECTÁCULOS

• *Clase de Escrito y Campo Léxico*

- Teatro (La casa de Bernarda Alba, de F. GARCÍA LORCA)

• *Contenidos Comunicativos*

- Valorar con énfasis

- Proponer

- Dejar que elija el interlocutor

- Sugerir

• *Contenidos Gramaticales*

- Hasta que + Ind./Subj. (Temporales)

- Como, adonde, cuando, lo que, etc. + Presente de Subj.

• *Contenidos Culturales*

- Jacqueline y Picasso

- Un día en… Toledo

Galería superior (Museo del Prado, Madrid).

DE LIBROS

ANTES DE LEER

- ¿Vas frecuentemente al teatro? ¿Qué tipo de obras te interesan, las modernas o las clásicas? ¿Crees que el teatro sigue teniendo aceptación entre el público o piensas que es un arte en decadencia?

---

1 er. fragmento: Bernarda Alba dialoga con tres de sus hijas poco después del entierro de su marido.

ADELA
Tome usted. *(Le da un abanico redondo con flores rojas y verdes.)*

BERNARDA. *(Arrojando el abanico al suelo.)*
¿Es éste el abanico que se da a una viuda?. Dame uno negro y aprende a respetar el luto de tu padre.

MARTIRIO
Tome usted el mío.

BERNARDA
¿Y tú?

MARTIRIO
Yo no tengo calor.

BERNARDA
Pues busca otro, que te hará falta. En ocho años que dure el luto no ha de entrar en esta casa el viento de la calle. Hacemos cuenta que hemos tapiado con ladrillos puertas y ventanas. Así pasó en casa de mi padre y en casa de mi abuelo. Mientras, podéis empezar a bordar el ajuar. En el arca tengo veinte piezas de hilo con el que podréis cortar sábanas y embozos.Magdalena puede bordarlas.

MAGDALENA
Lo mismo me da.

ADELA. *(Agria).*
Si no quieres bordarlas, irán sin bordados. Así las tuyas lucirán más.

MAGDALENA
Ni las mías ni las vuestras. Sé que yo no me voy a casar. Prefiero llevar sacos al molino. Todo menos estar sentada días y días dentro de esta sala oscura.

BERNARDA
Esto tiene ser mujer.

MAGDALENA
Malditas sean las mujeres.

BERNARDA
Aquí se hace lo que yo mando. Ya no puedes ir con el cuento a tu padre. Hilo y aguja para las hembras. Látigo y mula para el varón. Eso tiene la gente que nace con posibles.
(Sale ADELA)

La casa de Bernarda Alba
F. GARCÍA LORCA

A) Señala las palabras o frases donde se manifiesta:
   a) el carácter autoritario y despótico de Bernarda.
   b) su conservadurismo.

B) ¿Cuál va a ser desde ahora el destino de las hijas de Bernarda?

C) Señala ahora las frases en las que las hijas de Bernarda manifiestan las siguientes actitudes:
   a) indiferencia / resignación.
   b) desesperación/ rebeldía.

2º fragmento: Tres de las hijas de Bernarda están hablando de la próxima boda de Angustias, la hermana mayor, con Pepe el Romano.

MAGDALENA. *(Remedándola).*
    ¡Ah! Ya se comenta por el pueblo. Pepe el Romano viene a casarse con Angustias. Anoche estuvo rondando la casa y creo que pronto va a mandar un emisario.

MARTIRIO
    Yo me alegro. Es buen mozo.

AMELIA
    Yo también. Angustias tiene buenas condiciones.

MAGDALENA
    Ninguna de las dos os alegráis.

MARTIRIO
    ¡Magdalena! ¡Mujer!

MAGDALENA
    Si viniera por el tipo de Angustias, por Angustias como mujer, yo me alegraría; pero viene por el dinero. Aunque Angustias es nuestra hermana, aquí estamos en familia y reconocemos que está vieja, , enfermiza, y que siempre ha sido la que ha tenido menos méritos de todas nosotras. Porque si con veinte años parecía un palo vestido, ¡qué será ahora que tiene cuarenta!

MARTIRIO
    No hables así. La suerte viene a quien menos la aguarda.

AMELIA
    ¡Después de todo dice la verdad! ¡Angustias tiene todo el dinero de su padre, es la única rica de la casa y por eso ahora que nuestro padre ha muerto y ya se harán particiones viene por ella!

MAGDALENA
    Pepe el Romano tiene veinticinco años y es el mejor tipo de todos estos contornos. Lo natural sería que te pretendiera a ti, Amelia, o a nuestra Adela, que tiene veinte años, pero no que venga a buscar lo más oscuro de esta casa, a una mujer que, como su padre, habla con las narices.

La Casa de Bernarda Alba
F. GARCÍA LORCA.

A) Termina las frases:

1. Según sus hermanas, Angustias es _____.
2. Pepe el Romano es _____.
3. Sus hermanas sienten _____.
4. Pepe el Romano se casa con Angustias por _____.
5. Debería casarse con _____.

B) Elige la palabra que corresponde a cada una de las definiciones siguientes:

director	actor	actriz	escenario	telón
acto	éxito	fracaso	estreno	protagonista
actores secundarios	autor/ a	personaje	escena	ensayos

1. El lugar donde se representa la obra es el _____.
2. Las personas que participan en la representación son los _____ y las _____.
3. El primer día que se representa la obra es el día del _____.
4. La persona que hace el papel principal es el _____.
5. Las demás personas que salen en la obra son _____.
6. Cuando termina la obra, cae el _____.
7. Generalmente, las obras de teatro constan de tres _____ que a su vez, se dividen en _____.
8. Si la obra es buena, es un _____, y si es mala, es un _____.
9. Los actores representan en el escenario, a los _____ creados por el _____ _____.
10. Durante los _____, el _____ dirige a los actores.

C) Coloca las preposiciones adecuadas:

1. Se comenta _____ el pueblo que Pepe el Romano viene _____ casarse con Angustias.
2. Si viniera _____ el tipo, yo me alegraría, pero viene _____ el dinero.
3. Estamos _____ familia y podemos decir la verdad.
4. La suerte viene _____ quien menos la aguarda.
5. Ahora que se harán las particiones, viene _____ ella.
6. Sería normal que te pretendiera _____ ti.

EN LA INAUGURACIÓN DE UNA EXPOSICIÓN

Lola, (pintora):   ¡Hola, Jesús! ¿Cómo estás? ¿Qué hay, Consuelo? Me alegro de veros. No os esperaba ya.

Jesús: ¡Cómo no íbamos a venir! Es que no hemos podido salir hasta que no he recibido una llamada importante que esperaba.

Lola: Estaba preocupada porque ha habido gente que no ha recibido la invitación por la huelga de Correos. Venid que os presento al escultor del que os hablé, que expone conmigo.
Pablo, te presento a Jesús y a su mujer, Consuelo. Jesús y yo nos conocemos de toda la vida y hemos trabajado juntos. A él y a Consuelo les encanta el arte, son buenos coleccionistas y él es arquitecto.

Pablo: ¡Hola!, me alegro de conoceros.

Consuelo: Nosotros también teníamos ganas de conocerte, Lola nos había hablado mucho de ti… Vamos a ver ahora vuestra obra y luego nos vemos.

Todos: ¡Hasta luego!

Jesús: Consuelo, mira qué interesante aquel tríptico que está al fondo. ¡Qué paisaje tan bonito!, es una preciosidad, ¿no crees? Y la figura es realmente sugerente.

Consuelo: Sí, algunas obras son excelentes y en su conjunto es muy buena.

Jesús: Y las esculturas, ¿qué opinas?, ¿te gustan?

Consuelo: Sí, son muy decorativas, pero no sé si son buenas.

Jesús: Realmente, la exposición de Lola es aún mejor que la que hizo hace dos años. Mírala, aquí viene. Lola, nos vamos ahora, pero volveremos otro día para verla más despacio, con más calma y para poder hablar.

Lola: ¿Tenéis prisa?, ¿y si después nos fuéramos a tomar una copa y a cenar por aquí cerca?. Yo tengo que quedarme hasta que la gente se marche, pero no creo que tarde mucho.

Jesús: No tenemos prisa. Consuelo, ¿a ti qué te parece? ¿Nos quedamos a cenar o nos vemos otro día?

Consuelo: Me da igual, lo que tú quieras.

Lola: Estupendo, muy bien, entonces esperadme.

Nos conocemos de toda la vida.

A) A pregunta a B qué prefiere hacer (puede utilizar cómo, adónde, cuándo, cuál o qué), B contesta dejando que A elija.

1. Quedarse a cenar con Raúl/ volver otro día.
2. Ir al estreno de "El último adiós"/ a la inauguración de la exposición de Raúl.
3. Comprar un equipo de música/ cambiar el televisor viejo.
4. Ir al cine a la sesión de tarde/ a la sesión de noche.
5. Ir de veraneo al Norte/ a la Costa del Sol.
6. Comprar un disco de los Indomables/ de Rocío Jurado.
7. Hacer el viaje en litera/ coche cama.
8. Ir a Portugal por Badajoz/ por Salamanca.

B) Une las frases usando "hasta que" y poniendo el verbo en la forma adecuada.

Ej.: No podré irme - MARCHARSE la gente
No podré irme hasta que no se marche la gente.

1. Me quedé en la oficina - IRSE el jefe.
2. No me acostaré -VER las noticias de última hora.
3. No pudimos salir - VENIR la canguro.
4. No me iré - RECIBIRME el Director.
5. No pararon de buscar - ENCONTRAR al asesino.

C) A llama la atención y expresa admiración. B responde (coincide con la opinión de A).

Ej.: *A. Mira, qué magnífico panorama, ¿no te parece?.*
B.(Sí, es verdad), lo encuentro/ es/ me parece realmente magnífico.

1. La iluminación de las calles durante las fiestas.
2. El monumento a la libertad de la plaza de Lima.
3. La casa que se ha hecho el banquero Antonio Duque.
4. El cuadro abstracto premiado en la Bienal de Pontevedra.
5. Los jardines del Palacio Real.

"Huida de Eneas" Obra cedida por la autora: Dolores Padín.

PARA ESCRIBIR

En parejas. Escribid un diálogo tomando como referencia este anuncio del periódico. A quiere hacer un cursillo de teatro y pide información, B se la da.

CONVOCATORIA CURSO DE TEATRO

«Cursillo intensivo de formación del actor en las técnicas del teatro clásico»

- Duración: Meses de febrero y marzo de 1991
- Dirigido por don Carlos Ballesteros.
- Destinado a personas interesadas, preferentemente pertenecientes a Talleres de Teatro de Centros Culturales.
- Lugar de inscripción: Consejería Técnica de Cultura. Plaza de la Villa, nº 4, 1º planta.
  Tel. 588 13 60.
- Plazo: hasta el 23 de enero de 1991

PARA ESCUCHAR

Vas a oír una entrevista con una actriz y presentadora de televisión. En ella se habla de las diferentes maneras de actuar en un medio u otro: teatro, cine, televisión.

Escucha atentamente y responde:

	V	F
1. Está contenta porque los tres medios son formas diferentes de realizarse como actriz.		
2. El cine es más directo, te permite cambiar más.		
3. La televisión da más popularidad.		
4. Ella aborda cada medio de forma diferente.		
5. Cuando es presentadora, a veces no está de acuerdo con el papel y lo cambia.		
6. Ser conocida es bueno porque "vende".		
7. La gente se fija más en ti si eres bizca, coja, gorda, fofa y con gafas.		

En parejas. Realiza una encuesta a tu compañero acerca de sus preferencias cinematográficas, y luego, compáralas con el resto de la clase. Podéis hacer un estudio estadístico con los resultados obtenidos. Las preguntas pueden ser éstas u otras que añada cada uno:

-¿Qué tipo de películas te gustan más?
- ¿Dónde ves más películas, en la televisión, el vídeo o el cine?
- ¿Cuántas películas ves a la semana, por término medio?
- ¿Estás informado de los últimos estrenos?
- ¿Sabes el nombre de los directores y actores de tus películas preferidas?
- Di el título de tres películas que te hayan gustado mucho.

tienes que saber...

CONTENIDOS COMUNICATIVOS

VALORAR CON ÉNFASIS	A. Mira, qué interesantes aquellos cuadros. B. Sí, son realmente originales. En cambio éstos no valen nada.
PROPONER	A. ¿Qué hacemos?, ¿nos vamos o esperamos a Juan?
DEJAR QUE ELIJA EL INTERLOCUTOR	B. Lo que tú quieras.
SUGERIR	B. ¿Y si compráramos una escultura?

CONTENIDOS GRAMATICALES

• PARA VALORAR

- Es
Me parece (n) + SUSTANTIVO
{ una maravilla
una birria
una

Ej.: *La última obra de J. Gámez es una birria, no vale nada.*

- Es
Me parece (n) + (ADVERBIO) + ADJETIVO
muy
realmente
{ flojo
original
bonito
maravilloso…

Ej.: *A mí me parece muy sugerente.*

Si el adjetivo tiene significado superlativo (ej. estupendo, magnífico, extraordinario), no admite el adverbio MUY, pero sí cualquier otro adverbio. Por ejemplo, no se puede decir: "esto es muy estupendo", pero sí "esto es realmente estupendo".

• PROPONER Y RESPONDER DEJANDO LA ELECCIÓN AL PRIMERO
- Proponer acciones:
    Ej.: A.*¿Qué hacemos?*   B. *Lo que tú quieras*
         A.*¿Qué le decimos?*

- Con adverbio interrogativo:
    Ej.: A. *¿Dónde te espero?*   B. *Donde tú quieras.*
         A. *¿Adónde vamos?*   B. *Adonde prefieras*
         A. *¿Cuándo nos vemos?*   B. *Cuando te vaya bien.*
         A. *¿Cómo lo hago?*   B. *Como quieras.*

- Proponer objetos:
    Ej.: A. *¿Qué camisa me pongo?*   B. *La que quieras*
         A. *¿Cuál nos llevamos? (De dos libros)*   B. *El que quieras*

- Proponer acciones alternativas:
    Ej.: A. *¿Qué hacemos? ¿Vamos a la playa o a la montaña?*
         B. *Adonde tú quieras*
           Como quieras
           Lo que quieras.

• HASTA
- Hasta que + INDICATIVO. Para expresar acciones pasadas o presentes habituales.
    Ej.: *En mi casa, hasta que yo no llego, no comen.*

- Hasta que + SUBJUNTIVO. Para hablar de acciones futuras.
    Ej.: *Hasta que no lo vea, no lo creeré.*
        Dijo que hasta que no lo viera no lo creería.

Si el verbo principal va en forma negativa, el verbo de la oración que depende de "hasta que" puede ir en forma negativa o afirmativa.
    Ej.: *Me quedaré hasta que se vaya todo el mundo.*
        No me iré hasta que (no) llegue Jaime.

tienes que saber...

Jacqueline y Picasso

Más de un centenar de obras, entre óleos, esculturas, dibujos y grabados, integran la exposición "Picasso, retratos de Jacqueline", que presenta la Fundación Juan March en Madrid. La práctica totalidad de la exposición está centrada en la efigie serena y un poco triste de Jacqueline Roque, la última mujer del pintor.

Pablo y Jacqueline se conocieron en el invierno 1952-1953. Desde hacía unos cinco años, Picasso trabajaba la cerámica en la alfarería Madoura, que dirigía el matrimonio Ramié en Vallauris. Madame Ramié tenía empleada a una joven prima suya, divorciada y con una hija de seis años, Jacqueline Roque. Como Jacqueline sabía algo de español, a Picasso le gustaba hablar con ella, mientras su mujer iba y venía de París, donde mantenía una aventura sentimental con un joven artista griego.

La aparición de Jacqueline supuso una revitalización para la vida y la creatividad de Picasso. En los primeros retratos de la exposición de Madrid, los fechados en 1954, la joven aparece íntima y grave, sentada serenamente en una mecedora; irradia calma en el interior del taller, donde hasta reverdecen algunas flores. Picasso la ve y la expresa en perfiles recortados, exactos. Su cuello alto, su nariz recta, sus ojos almendrados y el arco pronunciado de sus cejas tienen algo de los hieráticos perfiles de Egipto y de las rotundas medallas romanas.

Inmediatamente se transforma en la odalisca sensual de los días de seducción. Al comprobar Picasso que la joven se parecía a uno de los personajes del cuadro "Les femmes d'Alger", de Delacroix, realizó una serie de versiones sobre el tema. Era 1955. La geometrización de la imagen sigue expresando la veracidad de una imagen vista con vivacidad y precisión. En estas pinturas el parecido sigue siendo sorprendente, como lo será hasta en las obras más abstractas.

En los retratos que van de 1956 a 1961, Picasso la representa como modelo, silenciosa y poética, habitando su taller, serenando sus cuadros. En ellos se respira la atmósfera tranquila de las casa antiguas en que a Picasso le gustaba vivir. Jacqueline está siempre muy próxima al pintor, meditativa, sentada, leyendo, acariciando a su perro afgano o al gato que un día encontró en el jardín.

Para muchos espectadores, "Jacqueline vestida de novia" (1961), será el momento más emocionante y el recordatorio inolvidable, emblemático, de esta exposición de Madrid. Coronada de flores, cubiertas por un velo nebuloso, ésta es el alma de Jacqueline. Pocas veces en la historia del grabado se habrá conseguido una estampa tan trascendente y emocionada de un retrato de mujer.

Los cuadros finales de la exposición de Madrid, realizados entre 1962 y 1971, muestran no sólo las mutaciones extraordinarias del arte vitalista del pintor, sino también las metamorfosis de Jacqueline y su triunfo final en cualquier circunstancia. Jacqueline era ya una obra de Picasso.

A) ¿Qué obras componen la exposición "Picasso, retratos de Jacqueline"?

B) Resume por escrito y con tus propias palabras las distintas etapas de Jacqueline en la obra de Picasso.

En los retratos de 1954, Jacqueline aparece _____ porque para el pintor, ella supuso _____.

En 1955, Jacqueline se transforma en _____...

Toledo

un día en...

Cristo de la Luz

La Asunción
(El Greco, Hospital de Santa Cruz)

Vista general

El bautismo de Cristo
(El Greco, Hospital de Tavera)

Casa del Greco

TEST 3 (Unidades 7, 8 y 9)

1. Mi hermano empezó a trabajar en abril y _____ tres meses lo despidieron.
   - a) los próximos
   - b) dentro de
   - c) al cabo de
   - d) en

2. A. Es tardísimo, me voy
   B. _____
   - a) Sí, ya lo creo
   - b) Sí, yo también me tengo que ir
   - c) Gracias , adiós
   - d) No, sólo son las dos

3. Cuando _____ 16 años, _____ a estudiar canto y piano.
   - a) tenía, empezaba
   - b) había cumplido, empecé
   - c) tuve, empezaba
   - d) tenía, empecé

4. Irene me dijo que _____ un buen trabajo y que _____ muchas ganas de verte.
   - a) había encontrado, tenía
   - b) había encontrado, tendría
   - c) encontraba, tenía
   - d) encontró, tuvo

5. Perdona que no te _____ antes, es que he estado muy ocupado.
   - a) llame
   - b) llamé
   - c) llamaría
   - d) haya llamado

6. En el teatro Romea, actualmente _____ una obra de García Lorca.
   - a) se representa
   - b) se actúa
   - c) se dirige
   - d) se interpreta

7. A. ¿Qué hacemos, nos quedamos aquí o vamos a otro cine?
   B. _____
   - a) El que tú digas
   - b) Lo que tú quieras
   - c) Lo mejor para todos
   - d) Yo me voy a casa

8. Irene me dijo que te _____ recuerdos.
   - a) dé
   - b) daré
   - c) diera
   - d) daba

9. A. _____?
   B. Sí, me encantan, son muy originales
   - a) ¿Te gusta este cuadro?
   - b) Y estas esculturas, ¿te gustan?
   - c) ¿Qué te parece esta obra de teatro?
   - d) Aquellas esculturas son feas, ¿verdad?

10. A. Este es Jesús. Jesús, te presento a Lola
    B. _____
    - a) Hola, me alegro de conocerte
    - b) ¡Qué bien!

c) ¿Qué haces

d)¿Eres española?

11. Llámame _____.
    a) a la semana siguiente
    b) la semana que viene
    c) a los dos días
    d) en una semana

12. A. ¿Te acuerdas de Miguel, el ex-marido de Olga?
    B. _____
    a) Claro, es muy inteligente
    b) No, no puedo
    c) ¿Está enfermo?
    d) Sí, ¿qué ha sido de él?

13. Se fue en abril y _____ volvió.
    a) al cabo
    b) al mes siguiente
    c) el mes próximo
    d) un mes

14. Las casas de Macondo están construidas con _____.
    a) barro y cañabrava
    b) ladrillos
    c) cemento
    d) piedra

15. ¡Por favor, _____ el vestido a la niña!
    a) átale
    b) desabróchale
    c) cómprale
    d) mira

16. Irene me dijo que te _____ y te _____ la nueva dirección.
    a) escribía y daba
    b) escribirá y dará
    c) escribiría y daría
    d) escribas y des

17. Ya esta bien, la gente conduce como si no _____ más coches por la calle.
    a) tuviera
    b) hubiera
    c) hay
    d) haya

18. Cuando veas la señal de STOP, debes _____.
    a) acelerar
    b) frenar
    c) pisar el embrague
    d) dar marcha atrás

19. No pudimos salir de casa hasta que no _____ la canguro.
    a) llega
    b) llegue
    c) está
    d) llego

20. Perdona que no te _____ hoy, pero tengo que llegar pronto a casa para poner la mesa.
    a) haya esperado
    b) espere
    c) esperaré
    d) espero

NUESTRO PLANETA

- ## *Clase de Escrito y Campo Léxico*

    - Artículo periodístico. (Ruidos)

    - Medio ambiente, su deterioro

- ## *Contenidos Comunicativos*

    - Opinar

    - Involuntariedad

- ## *Contenidos Gramaticales*

    - Está claro, es obvio, es evidente + Ind

    - Me parece lógico que + Subj.

    - Antes de + Inf / Antes de que+ Subj. (Temporales)

    - Se + me / te / le / nos / os / les

- ## *Contenidos Culturales*

    - Antonio Machado

    - Un día en… Segovia

El desastre ecológico de los incendios.

- ¿Te gusta ir a la discoteca? ¿Te molesta el ruido normalmente? ¿Crees que el ruido es un agente contaminante? ¿Qué soluciones propones para evitarlo?

RUIDOS

Somos el segundo país más ruidoso del mundo, un problema de muy difícil solución que dejará sordo a uno de cada cuatro españoles.

El despertador interrumpe cada mañana, con un sonido cercano a los setenta decibelios (dB), el sueño de un habitante cualquiera de una gran ciudad. La Organización Mundial de la Salud (OMS) considera la cifra de 55 decibelios como límite máximo de tolerancia del oído humano. Se trata del primer agente contaminante de un día normal, cargado de sobresaltos acústicos. Una tortura sonora que afecta a más de 130 millones de ciudadanos de la Comunidad Europea.

El transporte público o el automóvil (70-80 dB) acerca al sufrido ciudadano a su trabajo, donde se ve obligado a escuchar la radio, una megafonía a fuerte volumen y diversas conversaciones airadas (65-80 dB). Hasta su despacho llega el ruido de las sirenas de las ambulancias (70dB) y, en ocasiones demasiado frecuentes, el estridente lamento de alguna alarma electrónica estropeada (80-90dB). El emplazamiento de su casa, junto al aeropuerto, le obliga a escuchar constantemente el despegar y el aterrizar de aviones de reacción (80-120 dB). Algunas noches, antes de acostarse, pasa un par de horas en una discoteca en la que la música suena a todo volumen (100-120 dB). Cuando finaliza la jornada ha recibido los mismos impactos auditivos que si trabajase con un martillo neumático o fuese guitarrista de un grupo de rock.

Investigadores médicos aseguran que a partir de estos niveles medios (alrededor de 80 decibelios), a los que está sometido el 70% de la población española, aparecen determinados síntomas, como insomnio, envejecimiento precoz, hipertensión, disfunciones varias, disminución de la productividad y de la capacidad sexual, cefaleas y, por supuesto, hipoacusia (sordera generalmente irreversible). Entre los 30 y los 60 decibelios se ven afectadas las actividades intelectuales; a partir de los 85 se producen lesiones auditivas, y desde los 100 en adelante, el riesgo es padecer sordera.

Actualmente todos los ayuntamientos de las grandes ciudades toman medidas para controlar los ruidos. Mediciones, elaboración de planos acústicos, patrullas especiales de la Policía Municipal para revisar vehículos... Plácido Pereda, jefe de la sección de niveles sonoros de la Agencia del Medio Ambiente del Ayuntamiento de Madrid, está convencido de que el futuro sonoro de las grandes ciudades "pasa inevitablemente por la educación medioambiental (lo que para unos es sonido para los demás puede ser ruido) y por una planificación urbana sólida (separar las zonas con exigencias acústicas diferentes). En los espacios ya construidos de las grandes ciudades, la solución hay que buscarla a largo plazo, limitando el tráfico y reduciendo las velocidades máximas en determinadas zonas. No podemos olvidar que el tráfico es la causa del 90% de los ruidos urbanos . También serían buenas medidas recuperar el uso del tranvía o del trolebús y, por supuesto, apostar por los automóviles eléctricos ".

España es el país más ruidoso del mundo, según datos de la Organización Mundial de la Salud, después de Japón. Estudios de la Organización de las Naciones Unidas demuestran que alrededor del 25% de la población de las grandes ciudades sufre trastornos auditivos. La contaminación acústica se ha convertido en los últimos años en una forma grave y específica de polución urbana, que afecta profundamente a los habitantes de las grandes ciudades. Hasta hace no mucho tiempo, este tipo de degradación ambiental ha pasado inadvertido para ecologistas, asociaciones de protección de la naturaleza y ciudadanos de a pie. El ruido de bocinas, motocicletas de escape libre, taladradoras, atascos, martillos neumáticos, gritos humanos y ladridos animales, discotecas, aviones y ambulancias ha pasado a formar parte de la banda sonora de la ciudad, y sus habitantes se han acostumbrado a vivir con esta ensordecedora música de fondo. Hace una década, el doctor Mustafá Kamal Tolba, entonces director ejecutivo del Programa de las Naciones Unidas para el Medio Ambiente (PNUMA), colocó el ruido en cabeza de las listas de contaminantes." Es más difícil tomar medidas contra el sonido, como contaminante acústico, que contra la propia contaminación del agua o del aire", aseguró ."El ruido es omnipresente y tiende a aumentar en la medida del incremento industrial mundial, sobre todo debido al aumento del parque automovilístico en las grandes ciudades". "Los efectos para la salud son nefastos", auguraba, "y la sordera es sólo uno de ellos". Frente a los niveles de ruido que soportan los habitantes de las grandes ciudades, los médicos especializados en problemas auditivos sólo pueden recomendar aislamiento y prudencia en el trabajo.

El País Semanal.

A) Escribe el sustantivo correspondiente a cada uno de estos adjetivos .

1. sonoro   sonido
2. ruidoso   _____
3. sordo   _____
4. contaminante   _____
5. auditivos   _____
6. ambiental   _____
7. ecológico   _____
8. tolerante   _____

B) Con tus propias palabras, haz un resumen en pocas líneas del texto leído. Para ayudarte, sigue el guión:

- Ruidos que soporta un habitante de una gran ciudad a lo largo del día.
- Consecuencias de la contaminación acústica, según los especialistas en medicina.
- Soluciones posibles al problema.

C) Haz una lista de agentes ruidosos que soportas habitualmente, clasificándolos de menor a mayor intensidad.
Compárala con la de tu compañero.

D) Completa las frases con las expresiones del recuadro:

se trata de	afecta a
se ve obligado a	está sometido a
tomar medidas para	está convencido de
demuestra que	

1. Si no se _____ evitar que suba la inflación, el paro aumentará en los próximos meses.

2. El Director del Centro de Investigaciones Agrarias _____ que el futuro de la agricultura española depende de la formación que reciban las nuevas generaciones de trabajadores del campo.

3. Los resultados obtenidos en las últimas elecciones _____ que los españoles ya no apoyan al Gobierno como antes.

4. La contaminación acústica _____ la totalidad de los habitantes de las grandes ciudades.

5. Señores, tenemos que reunirnos urgentemente; _____ de un asunto importante para todos.

6. El Director de la Escuela _____ contestar las quejas de los padres, los profesores y del Ministerio.

7. El hombre moderno _____ grandes presiones de todo tipo: familiares, económicas, sociales, etc.

EN LA PLAYA

Padre: ¿Nos quedamos aquí? Este sitio está bien, no hay mucha gente.

Madre: Muy bien, vamos a sacar las hamacas y las sombrillas del coche. Niños, ayudad, venid a por vuestras cosas.

Niño: Papá, ¿y mi colchoneta?

Padre: ¿No está en el maletero con las otras cosas?

Niño: No, no la veo.

Padre No… pues no está, se nos ha olvidado.

Madre: ¿Por qué no habéis mirado si estaba todo antes de salir de casa? Ya os dije que cada uno tuviera cuidado de sus cosas. Está claro que tengo yo que ocuparme de todo.

Padre: Bueno, ya está, qué le vamos a hacer. Aquí tenéis la pelota y los flotadores, por un día no pasa nada ...Pero ¿y esa música?,¡qué barbaridad! ah, son ésos que se han colocado ahí. Carmen, ¿a ti te parece normal que vengan a la playa con la radio y la pongan a todo volumen?

Madre: A mí me parece fatal, pero es así, hay gente que no puede pasarse sin la radio,y algunos se llevan a la playa hasta el televisor.

Niño: Pues a mí no me parece mal. Lo que pasa es que los mayores no entendéis la música moderna, estáis anticuados.

Padre: Eso ni es música ni es nada. Lo menos que podían hacer es ponerla más baja. Así no hay quien descanse tranquilo.

Madre: Bueno, dejadlo, vamos a bañarnos, y si no se han ido antes de que volvamos, nos iremos nosotros a otro sitio, la playa es muy grande.

> **No puede pasarse sin........**
> **Lo menos que podían hacer es.....**

A) En parejas. A pide a B su opinión sobre un hecho. B responde utilizando " es normal / absurdo / lógico / justo / natural / etc."

> Ej.: A. Todos los bares y restaurantes cerrarán a la una de la madrugada.
> B. Hay numerosas protestas de los vecinos por el ruido en la calle.

> *A. ¿A ti te parece lógico que todos los bares y restaurantes cierren a la 1 de la madrugada?*
> *B. Hombre ....a mí me parece bien, la gente tiene derecho a descansar, y muchos vecinos han protestado por los ruidos y las voces de los clientes.*

1. A. Las vacaciones escolares de verano serán sólo de un mes, agosto.
   B. Hace demasiado calor en julio y septiembre.

2. A. Van a subir los impuestos municipales.
   B. Ya los han subido dos veces en el último año.

3. A. La gente se lleva el radiocasete al campo y a la playa.
   B. Molestan a otras personas.

4. A. El Gobierno ha establecido que el sueldo de los funcionarios y trabajadores no suba por encima del 6%.
   B. La inflación ha subido un 7,5%.

5. A. En los próximos años en España se abrirán nuevas universidades privadas.
   B. Aumentará la desigualdad entre los ciudadanos.

6 A. Hay gente que paga los viajes del verano a plazos, después de hacerlos.
   B. Hoy todo se paga a plazos.

7. A. Casi todos los premios importantes se los dan a gente mayor ya consagrada.
   B Se debe ayudar a los jóvenes.

8. A. Ciertos periódicos y revistas publican noticias escandalosas y deformadas.
   B. Eso le gusta a la gente.

9. A. Van a poner multas más altas por exceso de velocidad.
   B. Muchos accidentes se producen a causa de la velociad.

10. A. La gente se vuelve loca con las rebajas.
    B. No hay verdaderas gangas.

B) Contesta a las preguntas como en el ejemplo;

Ej. A ¿Y el jarrón tan bonito que tenías en la mesa del salón ? / (ROMPERSE)
B. *Se me ha roto.*

1. ¿Por qué llegas tan tarde ?/ (PARARSE el reloj)

2. ¿Todavía no te ha devuelto Juanjo el libro de verbos? / (PERDERSE)

3. ¿Por qué vienes en autobús? ¿Y la moto? / (ESTROPEARSE)

4. ¿Por qué no me llamasteis para decirme que fuera con vosotros? / (OLVIDARSE)

5. ¿Qué estás buscando? / (CAERSE un pendiente)

6. ¿Por qué os habéis parado? / (PINCHARSE una rueda del coche)

C) Pon el verbo en la forma correcta:

1. Nos iremos a otro sitio si esos chicos no se han marchado antes de que (VOLVER, nosotros)
   _____ .

2. Os dije que mirarais todo antes de (SALIR, vosotros) _____ .

3. Me fui antes de que (LLEGAR, él) _____ y por eso no pude hablar con él.

4. Tengo que contestar a su carta antes de que (ESCRIBIRME, ella) _____ otra vez.

5. Le hicieron callar antes de que (PODER, él) _____ explicar su posición.

6. Se fue de casa antes de (CUMPLIR, él)_____ los dieciocho años porque no se llevaba bien
   con sus padres.

7. Nos fuimos antes de que (TERMINAR) _____ la película, era aburridísima.

8. ¿Vendrás a despedirte antes de (MARCHARTE, tú)_____? ¿verdad?

9. Siempre nos escribe antes de (LLEGAR, él) _____ para que vayamos a esperarlo.

10. No sé por qué no me admiten la matrícula, llevé todos los papeles antes de que (CERRARSE)
    _____ el plazo.

PARA ESCUCHAR

Vas a escuchar una serie de noticias relacionadas de alguna manera con la ecología. Trata de contestar a las preguntas.

Noticia 1.
1. ¿Cuántos osos murieron entre 1980 y 1989?
2. ¿De qué depende la supervivencia de los osos asturianos?
3. ¿Qué medidas se contemplan en el Plan de Recuperación del Oso?
4. ¿Cuál será el destino de las subvenciones de la Comunidad Autónoma ?

Noticia 2.
1. ¿Qué medidas anunció el Ministerio de Sanidad?
   - Un Plan Nacional de _____
   - Un real decreto de _____
   - Un proyecto de directiva comunitaria sobre _____
2. ¿Qué pretende la directiva comunitaria (tercera medida anunciada por el Ministerio) según César Braña ?

Noticia 3.
1. ¿Qué defienden los "okupas"?
2. ¿Qué acciones emprendieron los manifestantes como protesta?
3. ¿Cuál fue el resultado de la actuación de la policía?

PARA ESCRIBIR

En grupos de, 4. buscad en periódicos y revistas de vuestro país noticias como las anteriores y redactadlas en español. Para que toda la clase las conozca, podéis ponerlas en un mural.

CONTENIDOS COMUNICATIVOS

OPINAR	Está claro que la culpa es suya. Es normal que no venga a la boda de su ex-marido.
INVOLUNTARIEDAD	Se me ha caído el anillo al agua.

CONTENIDOS GRAMATICALES

• PARA OPINAR
-Está claro

-Es | evidente
cierto
obvio | que + INDICATIVO

Ej.: *Es obvio que todo el mundo quiere vivir mejor.*

-Es / Me parece   lógico
normal   + INFINITIVO
absurdo   + que + SUBJUNTIVO
fatal

Ej.: *A mí me parece normal trabajar ocho horas diarias.*
INFINITIVO (verdad general)
A mí no me parece lógico que trabajes más de ocho horas.
(Opinión. Sujetos distintos)

• ANTES DE
-Antes de + INFINITIVO (mismo sujeto)
Ej.: *Llama por teléfono antes de venir, por si no estamos.*
(tú)   (tú)

-Antes de que + SUBJUNTIVO (distinto sujeto)
+ Acciones presentes o futuras: PRESENTE DE SUBJUNTIVO.

Ej.: *Te llamaré antes de que salga el tren.*
(yo)   (el tren)

+ Acciones pasadas: IMPERFECTO o PLUSCUAMPERFECTO DE SUBJUNTIVO.

Ej.: *Vi a Juan antes de que terminara el COU.*
(yo)   (Juan)

• SE + ME / TE / LE...
En ocasiones, en español usamos una estructura compuesta de dos pronombres, más un verbo en tercera persona del singular o plural. El primer pronombre expresa la falta de participación del sujeto gramatical en la realización de la acción y el segundo indica un sujeto personal que se siente afectado por la acción verbal.

SE | ME / TE / LE
NOS / OS / LES   + verbo en 3ª persona singular o plural

Ej.: *El coche se nos averió cuando volvíamos de Zaragoza.*

ANTONIO MACHADO

A continuación te presentamos dos poemas de Antonio Machado, un importante poeta español (1.875-1.939). Estos fragmentos pertenecen a su libro "Campos de Castilla" y son descripciones del paisaje castellano, visto con una sensibilidad especial. Soria es una ciudad castellana, a unos 300 km de Madrid, y el Duero es el río que pasa cerca, formando una "curva de ballesta".

VII

¡Colinas plateadas,
grises alcores, cárdenas roquedas
por donde traza el Duero
su curva de ballesta
en torno a Soria, oscuros encinares,
ariscos pedregales, calvas sierras,
caminos blancos y álamos del río,
tardes de Soria, mística y guerrera,
hoy siento por vosotros, en el fondo
del corazón, tristeza,
tristeza que es amor! ¡Campos de Soria
donde parece que las rocas sueñan,
conmigo vais! ¡Colinas plateadas,
grises alcores, cárdenas roquedas!....

A) ¿Cuál es el estado de ánimo del poeta? ¿qué siente ante el paisaje soriano?

B) Aquí hay varios adjetivos referidos a colores. Haz una lista de ellos y ordénalos de menor a mayor intensidad y di qué tienen en común todos ellos. Tambien hay dos adjetivos referidos al paisaje. ¿Cuáles son?

C) Teniendo en cuenta lo anterior ¿cómo definirías el paisaje que describe el poeta? Busca dos o tres adjetivos (que no estén en el texto) para calificarlo.

VIII

He vuelto a ver los álamos dorados,
álamos del camino en la ribera
del Duero, entre San Polo y San Saturio,
tras las murallas viejas
de Soria - barbacana
hacia Aragón, en castellana tierra-.
Estos chopos del río, que acompañan
con el sonido de sus hojas secas
el son del agua, cuando el viento sopla,
tienen en sus cortezas
grabadas iniciales que son nombres
de enamorados, cifras que son fechas.
¡Álamos del amor que ayer tuvísteis
de ruiseñores vuestras ramas llenas;
álamos que seréis mañana liras
del viento perfumado en primavera;
álamos del amor cerca del agua
que corre y pasa y sueña,
álamos de las márgenes del Duero,
conmigo vais, mi corazón os lleva!

A) En este fragmento se nos habla de un árbol, el álamo, que parece muy importante para el poeta, ¿por qué?, ¿qué representa el álamo? ¿En qué estación del año está escrito el poema? ¿Cuáles son los temas centrales del poema?

Segovia

Acueducto romano

Alcázar

Casa de Antonio Machado

un día en...

Palacio de La Granja de San Ildefonso

UNIDAD 11

INFORMACIÓN Y MEDIOS DE COMUNICACIÓN

• Clase de Escrito y Campo Léxico

- Artículo periodístico (Su vida vale 50 pesetas)

- Medios de comunicación

• Contenidos Comunicativos

- Preguntar por la dificultad

- Preguntar por la diferencia

- Opinar

• Contenidos Gramaticales

- Pienso / Estoy seguro de que + Ind. Superlativos

- No… sino

- No sólo… sino también

• Contenidos Culturales

- El Norte y el Sur

- Un día en … Santiago de Chile

La Prensa: "el cuarto poder".

-¿Qué te sugiere el título del artículo?, ¿de qué crees que va a hablar?

Su vida vale 50 pesetas.

Encontrar en el buzón publicidad de leche materna cuando se está embarazada, o comprobar que un error en la transcripción del apellido se repite exacto en la cuenta del banco y en el folleto de una enciclopedia, son situaciones que confirman cómo nuestros datos, hasta los más íntimos, van de mano en mano, se compran y se venden, sin ningún tipo de control.

Las agencias de marketing directo o mailing, que viven de la confección de ficheros de clientes, obtienen la información de múltiples formas. Los ayuntamientos les ceden el censo -que incluye Número de Identificación Fiscal y Documento Nacional de Identidad-, a razón de 10 ó 15 céntimos por nombre y dirección, cantidad que cubre el gasto mínimo de elaborar un listado por ordenador. Las empresas especializadas en bases de datos tienen tarifas más altas. Coditel, una filial de Telefónica, ofrece nombre, dirección, teléfono y profesión de un ciudadano, en cintas informatizadas, a 2 ó 3 ptas, lo que elevaría el precio de un listado normal -70.000 direcciones- a unas 200.000 Ptas. Además, amplía su oferta agrupando las direcciones por zonas o actividad laboral, lo que facilita el trabajo de los publicitarios. Otras *list-brokers* (empresas de listados) confeccionan bancos informatizados más específicos, tras poner en marcha lo que se llama una "amplia labor de campo", que incluye la técnica de telemárketing (publicidad a través del teléfono). En estos ficheros, en los que el dato se cotiza de 50 a 100 pesetas, aparece todo lo conocible de una empresa: desde el nombre del botones hasta el de los familiares del director, sus gustos culinarios o su modelo de coche.

En los hospitales y maternidades también se realiza trabajo de campo con agentes exclusivamente dedicados a obtener datos sobre estado de salud, embarazos, necesidad de ciertos fármacos o de aparatos sanitarios. Para saber si una persona ha tenido recientemente un hijo basta acudir al registro civil; si desea conocer su actividad profesional o el teléfono y dirección de su despacho le informan los colegios profesionales; y para registrar el tipo de vehículo que posee están las bases informatizadas de los concesionarios.

Datos personales como el estado de la cuenta bancaria pasan por el *mailing*, aunque con un filtro de protección. Las entidades financieras suscriben un contrato de confidencialidad con las agencias publicitarias, de forma que no se utilice la información para otro fin que el acordado. Incluso los bancos insertan, en secreto, datos erróneos sobre un cliente que, en caso de aparecer en otro listado, demostrarían que se ha violado la confidencialidad.

"Toda esa información es pública y está al alcance de cualquiera", indica el responsable de una empresa de publicidad directa, sector que ha crecido un 40 % en 1.990, factura cerca de 20.000 millones de pesetas y da trabajo a 15.000 personas. "Si un ciudadano no quiere recibir publicidad, se le inscribe en los *ficheros Robinson* y no se le manda ni un folleto", añade.

Sobre el anteproyecto de ley que prepara el Gobierno para la protección de datos personales de los ciudadanos, este directivo opina que "es necesario regular el sector, pero sobre todo porque falta colaboración por parte de la Administración pública. Ello ha originado un mercado negro de información que no beneficia a nadie. Ocurre, por ejemplo, que un funcionario te vende un fichero por tantos miles de pesetas, y no hay defensa contra esto".

Por su parte, la Comisión de Libertades e Informática (CLI), formada por profesionales de la Informática, sindicatos, juristas y usuarios, criticó ayer el citado anteproyecto, que consideran insuficiente para proteger los derechos del ciudadano ante la recogida, transmisión e interconexión de sus datos personales. La CLI opina que hay aún más peligro en los ficheros que manejan los diferentes organismos públicos que en las empresas privadas. "Exigimos que cualquier dato se inserte tras la autorización expresa del ciudadano", señalan los componentes de la CLI.

El Sol.

A) Contesta a las preguntas:

    1. ¿Por qué sabemos que nuestros datos van de mano en mano, se compran y se venden?
    2. ¿Dónde se pueden obtener los siguientes datos:
        - Nombre, dirección, teléfono, NIF y DNI.
        - El estado de salud y las necesidades farmacéuticas.
        - Los nuevos nacimientos.
        - La actividad profesional de los ciudadanos.
        - El tipo de coche que uno tiene?
    3. ¿En qué consiste la "labor (o trabajo) de campo"?
    4. ¿Qué hacen los bancos con los datos de las cuentas de sus clientes?
    5. ¿Quién forma la Comisión de Libertades e Informática y qué opina del anteproyecto elaborado por el Gobierno?

B) Completa con la palabra correspondiente la definición:

folleto   listado   censo   ceder   tarifa   insertar   registro civil   fichero   botones

    1. ....-Cuadernillo impreso de pocas hojas, generalmente informativo o publicitario.
    2. ....-Dar, traspasar a otro voluntariamente una cosa, acción o derecho.
    3. ....-Lista de la población o riqueza de una nación o pueblo.
    4. ....-Toda salida producida por la impresora del ordenador.
    5. ....-Tabla de precios.
    6. ....-Muchacho que sirve en hoteles, bancos y otros establecimientos para hacer recados.
    7. ....-Lugar en que se hacen constar los nacimientos, matrimonios y defunciones de las personas.
    8. ....-Incluir una cosa en otra, un escrito en otro.
    9. ....-Lugar donde se guardan ordenadamente las fichas.

C) En el artículo aparecen los tres puntos siguientes:

- Nuestros datos personales más íntimos son conocidos y manipulados por agencias de marketing.
- La venta de estos datos de los ciudadanos se ha convertido en un buen negocio.
- Organismos oficiales y privados venden información sobre sus clientes y usuarios a agencias que se dedican a la elaboración de bancos de datos y luego venden estos a las agencias de publicidad.

Relee el texto y, oralmente, amplía estas ideas con más datos.

D) Reflexiona sobre el tema tratado. ¿Qué es lo que más te ha sorprendido? ¿Crees que es un problema del que debemos preocuparnos? Discútelo con tus compañeros.

E) Lee ahora este fragmento de un importante escritor español, en el que reflexiona sobre la proliferación de información en todos los medios de comunicación.

> En la actual sociedad de consumo, con unos medios de comunicación en masa de eficacia técnica tan fascinante, el aparato de la publicidad se esfuerza, en una situación competitiva, por ofrecer a la curiosidad general siempre nuevos materiales que mantengan despierta la expectación de la gente. Los diarios y revistas ilustradas proliferan, la radio y la televisión multiplican sus programas y canales extendiendo su actividad en el tiempo hasta colmarlo, hasta emitir sin interrupción durante las veinticuatro horas del día; y esto conduce a un crecimiento desmesurado. Incesante, frenéticamente, se hace necesario suministrar a la voracidad publica, estimulada de manera artificial, alimentos siempre nuevos (aunque sea sólo nuevos en apariencia), noticias, sensaciones. Y para lograrlo, se echa mano de todo: hay que llenar el tiempo y el espacio. A falta de algo mejor, ahí estamos, por ejemplo, los escritores, deseosos de exhibirnos y hacernos valer.
>
> *El jardín de las delicias.*
> F. AYALA

a) En el texto hay varias palabras en las que el significado común es "abundancia", "exceso", haz una lista de estas palabras. ¿Al servicio de qué están?
b) ¿Cuál es la causa principal de la proliferación de los medios de comunicación de masas?
c) El autor del texto saca una consecuencia de esta situación, "se echa mano de todo", incluso de los escritores. Explica la frase y cita otros ejemplos concretos de este hecho.
d) ¿Te parece que responden a la realidad las manifestaciones que hace F. Ayala en este fragmento o crees que exagera? Justifica tu opinión.

PARA ESCRIBIR

Escribe una redacción sobre "La influencia de la televisión en la sociedad actual".
Desarrolla uno de los siguientes temas:

a) ¿Qué programas de televisión tienen más éxito en tu país?
   Analiza las causas.

b) ¿Es buena o mala la televisión para la educación infantil? Señala sus ventajas e inconvenientes.

c) ¿Cuál es la función de la televisión en la vida actual?

Es EL ORDENADOR MÁS POTENTE DEL MERCADO

Vendedor: ¿Le atienden?

Cliente: No, todavía no. Estaba viendo estos ordenadores portátiles.

Vendedor: ¿Conoce nuestro modelo AJ-2000?

Cliente: No...

Vendedor: Es ideal, no sólo para llevarlo en los viajes, sino también para trabajar en la oficina. Dispone de 4 Mb de memoria principal y de una unidad de disquete de 3,5 pulgadas y un disco duro de 60 Mb.

Cliente: Y ¿qué diferencia hay entre éste y el AJ-1000?

Vendedor: Hombre, éste es más pequeño que el modelo anterior y, por supuesto, menos pesado. Es el ordenador portátil más potente del mercado en cuanto a almacenamiento de datos se refiere. Además, incorpora un nuevo microprocesador, capaz de trabajar a 22 megahercios, lo que lo hace rapidísimo en las nuevas aplicaciones con enormes cantidades de datos y cálculos complejísimos.

yo soy AJ-20000 el ordenador más potente del mundo

Cliente: ¿Y es muy difícil utilizarlo?.

Vendedor: No, qué va, se utiliza exactamente igual que un ordenador personal convencional. Nosotros mismos le enseñamos el manejo en unas cuantas sesiones.

Cliente: Sí, está bien, algo así es lo que yo andaba buscando, pero no estoy seguro de que sea exactamente lo que yo necesito.

Vendedor: No se preocupe por eso. Si Vd. quiere, mañana mismo se lo llevamos a su oficina y le hacemos una demostración. Es más, se lo podemos dejar durante15 días para que Ud. compruebe todo lo que le he dicho...

Cliente: Ah, bueno, en ese caso…, aquí tiene mi tarjeta.

Vendedor: Muchas gracias y hasta mañana.

Cliente: Muchas gracias a Ud., hasta mañana.

> No, qué va...
> Ah, bueno, en ese caso....

A) Forma frases con valor superlativo como si fueras un vendedor o un publicista:

Ej.: Televisor perfecto.

Éste es el televisor más perfecto que se ha fabricado hasta ahora.

1. Cámara de vídeo pequeña.
2. Coche que gasta poca gasolina.
3. Detergente que lava muy blanco.
4. Yogur natural.
5. Rebajas buenas.
6. Grandes almacenes muy baratos.

B) Transforma las siguientes frases en otras en las que aparezcan "no....sino", "no solamente....sino también" o "no...sino que".

Ej.: La Mezquita no está en Sevilla. Está en Córdoba.

La Mezquita no está en Sevilla, sino en Córdoba.

1. Este limpiador es muy práctico en el hogar y en la oficina.
2. No quiere estudiar matemáticas. Quiere estudiar medicina.
3. No quiso comer y se negó a hablar.
4. Cuando vio el accidente, no se paró y aceleró.
5. La sabiduría no está en la cima de la Universidad. Está en el patio de la Escuela Infantil.
6. Se ha gastado lo que heredó de sus padres y el dinero de su mujer.

C) En parejas. Pensad en un aparato electrodoméstico o una máquina (televisor, coche, moto, cocina, cámara, etc.) y escribid una lista de sus características, tal y como hace el vendedor del diálogo. Luego, representad el papel de cliente y vendedor ante el resto de la clase.

PARA ESCUCHAR

Vas a oír un avance de noticias de RNE del día 24 de Septiembre de 1.991. Estos son los titulares de las noticias, desordenados. Antes de escuchar, trata de ordenarlos.

1. Los documentos sobre armamento nuclear irakí

2. José Ramón Caso seguirá siendo

3. Un rehén británico

5. Virgilio Zapatero explica

4. Prisión en Granada para un arquitecto,

B. secretario General del CDS.

A. los proyectos de ley sobre Seguridad Ciudadana y la reforma del Servicio Militar.

D. será liberado a medianoche de hoy.

C. devueltos a la misión de la ONU.

E. un aparejador y el propietario de una inmobiliaria.

Después de escuchar las noticias, completa estos resúmenes de las mismas.

1. Según _____ iraquíes, los documentos sobre _____ , incautados _____ por el régimen de Bagdad, _____ la pasada madrugada a los inspectores de la ONU. El _____ de la Agencia Internacional de Energía Atómica _____ que estos documentos prueban que Irak _____ un sofisticado programa de armamento nuclear. Además, los inspectores de la ONU han encontrado una _____ de enriquecimiento de uranio.

2. El Ministro para las relaciones con las Cortes, Virgilio Zapatero _____ reunido con los diputados socialistas _____ de explicarles los proyectos de ley sobre _____ y la reforma del Servicio Militar. Esta reunión se produce _____ de otra que mantuvo el Ministro de Economía, Carlos Solchaga, con la Ejecutiva del Partido Socialista para explicar la orientación de los _____ del Estado para el año próximo.

3. El Secretario General del CDS, José Ramón Caso _____ presentarse para este mismo puesto en el Congreso extraordinario que comenzará _____ Caso cree que los últimos tres meses han servido al partido para realizar una _____ , ya que el CDS había descuidado su tarea de oposición. Por otro lado, Caso cree que Adolfo Suárez _____ el mejor candidato para las próximas _____

4. El rehén británico Jack Mann, secuestrado en 1.989 en el Líbano, será liberado a medianoche de hoy, ha anunciado la _____ de información IRNA, en Beirut. La organización de la Justicia Revolucionaria ya _____ la inminente _____ de Jack Mann.

5. Ingresan en prisión un arquitecto, un aparejador y el propietario de una inmobiliaria de Granada _____ de desmedido afán de lucro, falta de _____ y fraude en las normas básicas para la _____ Estas personas construyeron una urbanización de lujo y las _____ amenazan ruina _____ de haber sido entregadas.

CONTENIDOS COMUNICATIVOS

PREGUNTAR POR LA DIFICULTAD	¿Es muy difícil ponerlo en marcha?
PREGUNTAR POR LA DIFERENCIA	¿Qué diferencia hay entre éste y aquél?

CONTENIDOS GRAMATICALES

- **CREO**
- **PIENSO**
- **ESTOY SEGURO DE**   **+ QUE + INDICATIVO**
- **SUPONGO**

    Ej.: *A. ¿Y Juan?*
    B. No sé, supongo que está en el bar, viendo el fútbol.

- Si el verbo principal va en forma negativa, el verbo subordinado irá en SUBJUNTIVO:
    Ej.: *No creo que Alicia tenga tanto dinero como dice.*

- **SUPERLATIVO**

    - Con adjetivo:
    Artículo + (sustantivo)+ MÁS / MENOS + adjetivo DE +............
    QUE + frase
        Ej.: *Este modelo es el más potente que se ha fabricado.*
        Lola es la chica más elegante de la clase.

    - Cuando los adjetivos son: bueno, malo, grande y pequeño, se sustituyen por "mejor", "peor", "mayor" y "menor":
        Ej.: *Mi moto es la mejor de todas.*

    - Con verbos y sustantivos:
    Artículo + QUE +verbo + MÁS / MENOS + (sustantivo)
        Ej.: *Este coche es el que corre más.*
        Aquél es el que gasta menos gasolina.

- **NO ....SINO.**
    -Valor excluyente:

        Ej.: 1. *No queremos la guerra. Queremos la paz.*
            No queremos la guerra sino la paz.
        2. *No hizo aquel trabajo por ganar dinero, sino porque le gustaba.*

- **NO SÓLO.........SINO (TAMBIÉN)**
    - Valor aditivo:
        Ej.: 1. *Se comió el pan y todo lo demás.*
            No sólo se comió el pan, sino también todo lo demás.
        2. *No se conformó con el dinero que le dio su padre y le pidió más a su madre:*
            No sólo no se conformó con el dinero que le dio su padre, sino que, (además), le pidió dinero a su madre.

EL NORTE Y EL SUR

Te presentamos un fragmento de un autor uruguayo en el que habla de la dependencia tecnológica de los países subdesarrollados respecto de los desarrollados.

El primer sistema de patentes para proteger la propiedad de las invenciones fue creado, hace casi cuatro siglos, por sir Francis Bacon. A Bacon le gustaba decir "El conocimiento es poder", y desde entonces se supo que no le faltaba razón. La ciencia universal poco tiene de universal; está objetivmente confinada tras los límites de las naciones avanzadas. América Latina no aplica en su propio beneficio los resultados de la investigación científica, *por la sencilla razón de que no tiene ninguna, y en consecuencia se condena a padecer la tecnología de los poderosos, que castiga y desplaza a las materias primas naturales. América Latina ha sido hasta ahora incapaz de crear una tecnología propia para sustentar y defender su propio desarrollo.* El mero trasplante de la tecnología de los países adelantados no sólo implica la subordinación cultural y, en definitiva, también la subordinación económica, sino que, además, después de cuatro siglos y medio de experiencia en la multiplicación de los oasis de modernismo importado en medio de los desiertos del atraso y de la ignorancia, bien puede afirmarse que tampoco resuelve ninguno de los problemas del subdesarrollo. Esta vasta región de analfabetos invierte en investigaciones tecnológicas una suma doscientas veces menor que los Estados Unidos destinan a esos fines. Hay menos de mil computadoras en América Latina y cincuenta mil en Estados Unidos, en 1.970.

Es en el norte, por supuesto, donde se diseñan los modelos electrónicos y se crean los lenguajes de programación que América Latina importa.

Los símbolos de la prosperidad son los símbolos de la dependencia. Se recibe la tecnología moderna como en el siglo pasado se recibieron los ferrocarriles, al servicio de los intereses extranjeros que modelan y remodelan el estatuto colonial de estos países. "Nos ocurre lo que a un reloj que se atrasa y no es arreglado –dice Sadosky–. Aunque sus manecillas sigan andando hacia delante, la diferencia entre la hora que marque y la hora verdadera será creciente ".

Las venas abiertas de América Latina
E. GALEANO.

Según el texto, la importación de tecnología de los países desarrollados por los subdesarrollados no supone el avance de estos países. ¿Estás de acuerdo con él?

Por otro lado, ¿crees que la aportación económica (ayudas internacionales, préstamos del Banco Mundial) es la que verdaderamente puede solucionar los problemas de subdesarrollo de los países del Tercer Mundo ?

Escribe un artículo proponiendo otras soluciones. Haz una breve introducción explicando la situación actual.

Santiago de Chile

un día en...

Palacio de la Moneda

Plaza de Armas

Catedral reflejada

Antiguo edificio del Parlamento

UNIDAD 12

RELACIONES SOCIALES

• Clase de Escrito y Campo Léxico

- Artículo periodístico (Llamadas)

- Fórmulas sociales

- Lenguaje jurídico

• Contenidos Comunicativos

- Felicitar

- Saludar a otro

- Cambios experimentados en las personas

- Diferencia de edad

• Contenidos Gramaticales

- Como + Subj. (Condicionales)

- Sin que + Subj. (Modales)

• Contenidos Culturales

- Las Instituciones Españolas: El Congreso y el Senado

Monumento a la Constitución Española de 1.978 (Madrid).

- ¿Crees que actualmente se puede vivir sin teléfono? ¿Qué ventajas tiene el teléfono? ¿Y desventajas? ¿Para qué utilizas normalmente el teléfono?.

LLAMADAS

En su diario, Andy Warhol anotó que Jane Fonda sólo le telefoneaba para pedirle alguna cosa. Bueno, eso puede ser bonito, ¿no? Mientras puedas conceder lo que te piden, no hay problema. Al contrario, resulta agradable. Los varones tenemos la secreta vocación de Dios Todopoderoso, y las mujeres, la de María Medianera de Todas las Gracias. Y cuando no podemos resolver nuestros asuntos es un alivio resolver los de los demás.

Nos encanta que nos llame una persona amiga para pedirnos una información, que le grabemos un programa en vídeo, una coartada para una transgresión menor, que le presentemos a alguien, una tacita de aceite y , en general, cantidades de dinero inferiores a las 5.000 pesetas. Los pequeños favores contrarrestan nuestra vaga o concreta sensación de impotencia o insignificancia. Y nos complace que alguien a quien queremos, a la hora de pedir algo, nos lo pida a nosotros.

El problema está cuando te piden cosas difíciles. Por ejemplo: aprobarle el álgebra financiera al alumno que estropeó la calculadora del departamento para sumar seis y siete; convencer a Enriqueta de que él la sigue queriendo aunque se haya ido a las Bahamas con la otra llevándose el dinero que ella, Enriqueta, tenía ahorrado para un *lifting*; dejarle el coche para un *rally* porque acaba de estrellar el suyo, o que lo enchufes para un trabajo con tu ex amigo, el maldito renegado que abandonó el trotskismo para hacerse guerrista.

La mayoría de las llamadas imprevistas de amigos no piden nada, sin embargo. Y eso es temible, porque pueden pedirlo todo. Cuando llaman para decirte que están mal, no se sabe bien si desean que les escuches o los adoptes. Por eso es mejor que te pidan algo. He aquí algunas formas razonables de comunicar a un amigo que se está mal: "Estoy mal, ¿te importa que te lo cuente?" "¿Quieres sacarme a pasear y escucharme?" "Me conformo con contártelo, no es necesario que prestes atención." "Soy desgraciado, ¿puedes regalarme tu corbata azul?". "Me gustaría que me dieras tu opinión sobre el lío en que estoy metida". "Estoy fatal y me aliviaría que me invitases a una paella". "Déjame un par de novelas divertidas". "¿Tienes whisky de malta?". En fin, peticiones concretas.

A veces el comunicante pretende que seas tú quien averigüe que está mal. Ejemplo simple:

- ¿Qué tal te va?- preguntas.

- ...ien - contesta con voz inaudible.

- No lo dices muy convencida.

- ... sí ...

- Oye, estás mal, ¿no?

Veamos ahora una versión compleja:

- ¿Te pasa algo?

- Tengo un corte en el meñique...

- Bueno, eso no es nada.

- Me lo he hecho con el jarrón etrusco de la abuela.

- ¿Se ha roto?

- Me lo ha lanzado Fausto a la cabeza.

- ¿Fausto? ¿No estabas con aquel chico, con Policarpo?

- No... Se fue.

- ¿Te dejó?

- Si... Se fue con Margarita.

- ¿Con tu mejor amiga?

- Sí. Cuando yo estaba en la clínica cuidando a mi madre.

- ¿Y cómo está tu madre?

- Murió.

- Vaya. Lo siento. ¿Lo sentiste mucho?

- Sí. Pero ya se me pasó.

- Claro, el tiempo todo lo cura.

- Sí, y que me enteré dos meses más tarde que me había desheredado.

Bueno, de todas formas, está bien que la gente llame cuando está mal. Si puede precisar y decirte lo que puedes hacer, mejor. Creo que Andy Warhol tenía mucha suerte de que Jane Fonda le llamase siempre para pedirle algo. Si te piden, es señal de que puedes dar, o tienes reputación de poder dar.

Lo malo de alguna gente que llama para decir que está mal es que luego no suele llamar para decir que está bien. O para preguntarte cómo estás tú. Por eso me gustó que hace unas semanas me llamase G. para decirme que tenía trabajo y lo hacía a gusto, que le iba bien con el novio y que además era el día de su santo. Felicidades.

J.V. MARQUÉS
El País Semanal

A) 1. Según el texto, ¿por qué uno se siente satisfecho cuando alguien le llama para pedirle un favor?

2. ¿Y por qué otras veces supone un problema recibir llamadas de los amigos?

3. ¿Qué conclusiones saca el autor del artículo?

4. Discute con tus compañeros si estás de acuerdo o no y por qué.

B) Completa las frases con las expresiones del recuadro, que han aparecido anteriormente en el texto.

tener vocación de	abandonar ... para	dejar a
tener reputación/ fama de	convencer a ... de	es señal de que...
irle bien con	invitar a	

1. El domingo celebraba su cumpleaños y nos _____ a una comida riquísima.

2. Si gasta mucho dinero, _____ le van bien los negocios.

3. A pesar de tener todos los testimonios en contra, _____ Tribunal _____ que era inocente.

4. Es una pena, _____ los estudios _____ ponerse a trabajar.

5. No entiendo cómo _____ a su mujer por esa chica tan joven y que no vale nada.

6. En todo el barrio _____ ser un D. Juan, se pasa el día detrás de las mujeres.

7. Desde pequeño se pasaba el día inventando historias, estaba claro que _____ de novelista.

8. Por fin, estoy contento porque _____ el nuevo jefe, con el anterior me llevaba fatal.

C) Lee esta noticia del periódico:

Absueltos por falta de pruebas
a pesar de admitir su culpabilidad.

SERVIMEDIA

Madrid. El juzgado 14 de lo Penal de Madrid ha absuelto, por falta de pruebas, a José Luis García García y a Juan Moreno Llanos, acusados ambos de dos robos cometidos en 1980 por un valor total de 60.000 pesetas.

Los dos acusados habían reconocido, tras ser detenidos el 30 de enero de 1981, la autoría de los hechos tanto en dependencias policiales como judiciales. Uno de ellos, José Luis García, incluso llegó a manifestar a algunos medios informativos, días antes de la vista oral, que se celebró el pasado día 12, que no negaba su participación en los dos robos.

Según el magistrado José Antonio Alonso, las declaraciones autoinculpatorias «carecen de validez, puesto que se hicieron sin la presencia de letrado alguno y conculcar ese derecho conduce a la radical nulidad de la toma de declaración».

1. Subraya las palabras pertenecientes al lenguaje judicial.

2. Completa el texto siguiente con las palabras del recuadro.

testigos	acusación	presunto	magistrado
juez	condenado	culpable	juicio
fianza	delito	celebrarse	pruebas
culpabilidad	defensor	fiscal	

Una persona es juzgada cuando ha cometido un _____.
Antes de _____ el juicio, la persona es un _____ delincuente.
El juicio es presidido por un _____ y actúa como acusador el _____
y como _____ un abogado defensor.
También intervienen los _____ que pueden haber sido citados por la _____
____ o la defensa. Las pruebas son también un elemento muy importante, ya que, a pesar de
la convicción por parte del tribunal de la _____ del acusado, éste no podrá
ser condenado sin _____.
Si el _____ o juez lo considera oportuno, hasta la celebración del _____
____ , el acusado puede estar en libertad bajo _____. Después de celebrado el
juicio, el reo o acusado es declarado _____ o inocente. En el primer caso es
_____ a una pena, en el segundo caso es absuelto y queda en libertad.

3. Ahora discutid en clase si los acusados de la noticia anterior deben ser condenados o no, teniendo en cuenta la falta de pruebas.

¡ENHORABUENA!

Raquel: ¡Hola!, ¿qué tal? pasa…

Mary Paz: Hola, ¡enhorabuena!, ¡qué buen aspecto tienes!, y la niña, ¿cómo está?

Raquel: Estupendamente, pero no te quedes ahí, pasa, está en el salón dormida.

Mary Paz: Es monísima… ¿a quién se parece?

Raquel: La verdad es que es muy pequeña y no se sabe, pero yo creo que a Enrique, tiene la misma cara redondita y la misma nariz. Además es muy tranquila, sólo come y duerme.

Mary Paz: Y Pablo, ¿cómo se lo ha tomado?

Raquel: Está contentísimo, se pasa el día asomado a la cuna. Dentro de un rato lo traerán del parque, ya verás cómo ha crecido.

Mary Paz: ¿Cuánto tiempo se llevan?

Raquel: Tres años y medio, Pablo hizo los tres años en enero.

Mary Paz: Pero mira, te he traído una cosa para la niña, ábrelo a ver si te gusta.

Raquel: No tenías que haber comprado nada… un albornoz, ¡qué bonito!

Mary Paz: Si ya tienes o prefieres otra cosa, puedes cambiarlo.

Raquel: No, no, me viene muy bien, además tiene un tamaño muy bueno, un poco grande, así le servirá para dentro de unos meses.

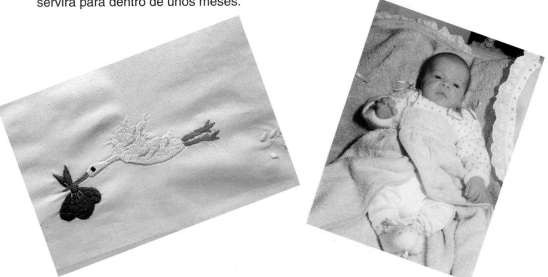

Mary Paz: ¡Hola, Pablo!, ¡qué mayor estás!, ¡cada día estás más guapo!

Raquel: Además, es un niño muy bueno, hace todo sin que nadie tenga que decírselo.

Pablo: Mamá, tengo hambre, quiero una galleta…

Raquel: Como llores, no te daré nada, las cosas se piden sin llorar. Además, dentro de un ratito vas a cenar y acostarte.

Mary Paz: Pobre, se ve que está cansado y tiene sueño.

Raquel: Espera, que voy a preparar algo. ¿Qué te apetece tomar?

Mary Paz: No te molestes, no quiero nada, de verdad, tengo que irme, he quedado a las 8 para cenar.

Raquel: Pero, mujer, ¿cómo te vas a ir tan pronto? No puedes irte sin que te cuente lo de Adela.

Mary Paz: ¡Ah, sí!, ya me he enterado, que, después de ir al abogado, ha hecho las paces con Andrés y otra vez tan contentos.

Raquel: Espera, entretén un poco a Pablo, vamos a tomar aunque sólo sea una cerveza y luego te marchas…

…

Mary Paz: Bueno, ya te llamaré, dale recuerdos a Enrique y la enhorabuena. Adiós.

Raquel: Adiós, y ven otro día más despacio.

> **¿Cómo se lo ha tomado?**
> **Hacer las paces.**

A) Forma frases condicionales con "Como + Subjuntivo", siguiendo el ejemplo:

- A. No sabes si podrás ir a la boda de Benita.
- B. Te enfadarás.
- A. *No sé si podré ir a tu boda, había quedado ya para salir fuera ese fin de semana.*
- B. *Como no vengas, no te hablo más.*

1. A. Vas muy mal en los estudios, el profesor te ha dicho que seguramente no aprobarás todo.
   B. Le habías prometido una moto a tu hijo si aprobaba todo.

2. A. Sales del trabajo a las 2. Tienes poco tiempo para preparar las maletas.
   B. A las 2 y media os marcháis.

3. A. No tienes ganas de comer, no te vas a terminar la comida.
   B. Le habías prometido a tu hijo un helado de postre.

4. A. La empresa en que trabajas anda mal y van a despedir al 50% de los trabajadores de la plantilla.
   B. Piensas que A debe asesorarse con un abogado para que no lo echen.

5. A. Te has enterado de que el nuevo texto saldrá dentro de dos meses.
   B. Piensas que tiene que salir antes, si no, no podréis usarlo este curso.

B) Transforma las frases siguientes y sustituye "sin que" por "si no" o por una frase o expresión con valor modal o condicional.

1. No te dejaré marchar sin que antes me cuentes qué pasó en la última reunión.
2. No iré a verlo sin que antes me diga para qué quiere hablar conmigo.
3. Es muy susceptible, se fue de casa sin que nadie le dijera que tenía que irse.
4. Lo han despedido del trabajo sin que haya motivos.

C) Relaciona:

1. ¿Sabes que Adela se ha separado de Juan?

2. Pues sí, por fin voy a casarme.

3. Sí, ya hace un año que murió mi madre. ¿no lo sabías?

4. El jefe acaba de decirme que el puesto que . solicité es para mí

5. ¿Y tu marido?

6. Mi mujer está embarazada.

a. No, lo siento, no tenía ni idea.

b. ¡Estupendo!, ¿no?.

c. ¡Qué suerte, hombre! ¿Para cuándo esperáis?

d. ¡No me digas!, pero si se llevaban estupendamente.

e. Ni idea. Hace tres meses que lo dejé. No lo aguantaba más.

f. ¡Vaya, chico, ya era hora!, ¡enhorabuena!

PARA ESCRIBIR

Raquel ha recibido una invitación de boda de un amigo, Ernesto, pero no puede ir y ésta es la carta que le escribe.
Léela:

Madrid, 16 de enero de 1992

Querido Ernesto:
Acabo de recibir tu invitación de boda y no sabes cuánto me alegro de la noticia. ¡Enhorabuena! No sabía que tenías novia, ha sido un flechazo ¿no?
La verdad es que te agradezco muchísimo que te hayas acordado de mí para esta ocasión, pero siento mucho tener que decirte que no vamos a poder ir a tu boda, pues como sabes, la niña, aunque tiene ya seis meses, es demasiado pequeña para dejarla con nadie y por otro lado, llevarla a Barcelona, además del niño, sería una verdadera odisea. Así que me temo que hasta el verano o hasta que tú vengas por aquí no vamos a poder vernos.
Pero ¿qué vais a hacer después de la boda? ¿Adónde vais a ir de viaje de novios? ¿Ya tenéis el piso listo? ¿A qué se dedica Elena? Espero que me cuentes más detalles cuando me escribas.
Por aquí, todo sigue más o menos. Enrique está muy ocupado con su trabajo porque ahora es jefe de su departamento. En cuanto a mí, con el trabajo y los niños, no me queda demasiado tiempo para aburrirme.
En fin, os deseo toda la felicidad del mundo en esta nueva etapa de vuestra vida y espero tener la ocasión de abrazaros personalmente muy pronto.
Un fuerte abrazo.

Raquel

Ahora escribe tú la carta de contestación de Ernesto, contando cómo ha ido la boda y otros detalles que pide Raquel.

Barcelona, 14 de Febrero de 1992
Querida Raquel:

PARA ESCUCHAR

En España existe la costumbre de recibir dos "pagas extras" al año en el trabajo, en julio y diciembre, y suelen equivaler al sueldo de un mes.

A continuación vas a oír las contestaciones de algunos españoles a la pregunta ¿en qué invierte usted la paga?, refiriéndose en este caso a la de Navidad.

Escucha y toma nota de qué se compra cada uno:

1. Julia Clavel. 38 años. Soltera. Profesora.
2. Pilar Echevarría. 45 años. Divorciada. Editora.
3. Angel Hervás. 40 años. Casado. Auxiliar de vuelo.
4. Rafael Córdoba. 26 años. Soltero. Enfermero.
5. Rosa Andréu. 38 años. Casada. Médica.
6. Javier Roble. 56 años. Soltero. Conserje.
7. Teresa Escudero. 23 años. Soltera. Telefonista.

CONTENIDOS COMUNICATIVOS

FELICITAR	¡Enhorabuena! ¡Felicidades!
CAMBIOS EXPERIMENTADOS EN LAS PERSONAS	¡Cómo ha crecido! ¡Qué alto está! Cada día está más guapo.
DIFERENCIAS DE EDAD	Pablo y su hermano se llevan tres años.
SALUDAR A OTROS	Dale recuerdos (de mi parte) a Enrique.

CONTENIDOS GRAMATICALES

• **CONDICIONALES**

- Como

Ej: *Como llores, no te compraré el helado = Si lloras, ...*

La frase con *como* va generalmente antepuesta y tiene un matiz de advertencia o amenaza.

- Sin que
Ej: *No te irás sin que te diga antes lo que me ha pasado =.........., si no te digo antes ....*

• **MODALES**

Ej: *Se ha ido sin que nadie lo viera = se ha ido disimuladamente, con disimulo.*

• **AUNQUE SÓLO SEA**

Frase hecha muy habitual.

Ej: *Sube a mi casa, aunque sólo sea cinco minutos.*

LAS INSTITUCIONES ESPAÑOLAS

En 1.977, después de la muerte de Franco (1.975), se restablece en España el sistema democrático. La Constitución de 1.978, aprobada y refrendada en referendum, establece un sistema bicameral, de manera que las Cortes Generales (o Parlamento Nacional) están formadas por el Congreso de los Diputados y el Senado. Ambas cámaras asumen la representación del pueblo español y por ello la Constitución les otorga las funciones más importantes del Estado, como son la aprobación de las leyes y los Presupuestos, el control de la acción del Gobierno, etc.

Sin embargo, el Congreso tiene una serie de funciones y facultades que revelan su primacía sobre el Senado, por ejemplo, los proyectos legislativos y los presupuestos se inician en el Congreso, y los vetos o enmiendas que hace el Senado pueden ser confirmados o rechazados por el Congreso, que tiene la última palabra.

El número de Diputados que forman el Congreso es de 350 (la Constitución establece que debe contar con un mínimo de 300 y un máximo de 400) y son elegidos por sufragio universal, libre, igual, directo y secreto.

Cada provincia tiene asignado un número mínimo de diputados, y el resto se distribuye en proporción a la población respectiva. En el caso del Senado se puede acceder por dos procedimientos; a) por elección directa (208 senadores) igual que en el Congreso, por las distintas provincias y b) por designación de los Parlamentos de las Comunidades Autónomas (alrededor de 50).

La legislatura (período por el que se elige al Congreso y al Senado) es de cuatro años, si bien este plazo puede resultar inferior cuando el Gobierno decreta su disolución anticipada y se ve obligado a convocar nuevas elecciones.

Los diputados y senadores se reúnen en los llamados Grupos Parlamentarios, basados en la común ideología o posición política. Los independientes, o los que no desean integrarse en uno de estos grupos, forman el Grupo Mixto.

Senado

• ASPECTOS HISTÓRICO - ARTÍSTICOS.

El Congreso de los Diputados está situado en la llamada Plaza de las Cortes (en la Carrera de San Jerónimo), y fue inaugurado como sede de ambas cámaras el 31 de octubre de 1.850 por la reina Isabel II. Constituye, junto al Teatro Real y la Biblioteca Nacional, uno de los edificios más notables del siglo XIX madrileño. Es de estilo neoclásico.

Las estancias más representativas se encuentran en la planta baja del edificio y son la Sala de Conferencias, los despachos de Presidencia, Sala de Ministros y la Biblioteca. Los elementos de decoración, muebles, cuadros, así como sus suelos, paredes y bóvedas son de un gran valor histórico y artístico. El Senado se encuentra en la actual Plaza de la Marina Española y es un palacio que fue originalmente Convento de los Padres Agustinos Calzados, fundado por Dña. María de Aragón a finales del siglo XVI, de traza herreriana. Lo más importante es su colección pictórica, sobre temas históricos realizados por artistas de la mitad del siglo XIX (Sorolla, los Madrazo, Moreno Carbonero, Esquivel y Martínez Cabells).

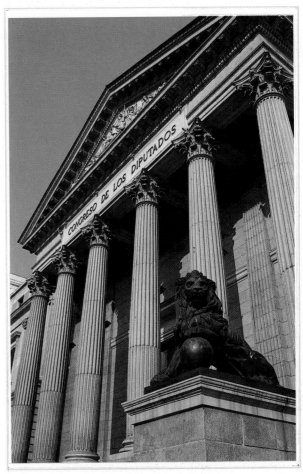

Congreso de los Diputados

También reúne una serie de obras de artistas contemporáneos (J. Gris, J. Miró, Tàpies, Benjamín Palencia), así como esculturas de personajes históricos (de Mariano Benlliure, entre otros).

La biblioteca, por su parte, contiene uno de los legados bibliográficos más importantes del siglo XIX y primer tercio del XX. Entre sus fondos hay, por ejemplo, numerosos incunables de distinto origen.

En grupos de 4. De dos en dos formulad preguntas acerca del texto para que las contesten los otros dos.

Ej: *¿En qué consiste el sistema bicameral?*
¿Qué órganos forman las Cortes Generales?
¿Cuántos diputados establece la Constitución?...

TEST 4 (Unidades 10, 11 y 12)

1. A partir de 85 decibelios, se producen lesiones _____.
   a) auditivas
   b) sonoras
   c) audibles
   d) graves

2. España es el país más _____ del mundo, según la OMS, después de Japón.
   a) sonoro
   b) ruidoso
   c) sordo
   d) ecológico

3. Cuando alguien nace, se casa o muere, tiene que hacerlo constar en el _____.
   a) censo
   b) listado
   c) registro civil
   d) folleto

4. "Proliferar" significa:
   a) multiplicarse
   b) extenderse
   c) ir más allá
   d) llenar

5. A mí me parece lógico que los amigos me _____ para pedirme cosas.
   a) llamen
   b) llaman
   c) llamaran
   d) llamarán

6. Está claro que ver mucho la televisión _____ a los niños.
   a) perjudique
   b) perjudicará
   c) perjudica
   d) beneficie

7. Aquí está, señores y señoras, _____
   a) un televisor muy moderno
   b) un televisor más moderno que el mundo
   c) el televisor más moderno del mundo
   d) el televisor que es más moderno

8. Es natural que la gente _____ por el ruido.
   a) protestó
   b) proteste
   c) protestaría
   d) protesta

9. A. ¿Le atienden?
   B. _____
   a) Sí, no quiero nada
   b) No, no quiero nada
   c) No. Estoy mirando estas herramientas…
   d) Sí, me atienden mucho

10. En este establecimiento se venden los _____ vinos del mundo
    a) buenos
    b) caros
    c) mejores
    d) especiales

11. "El lago de los cisnes" _____ es de Beethoven, _____ de Tchaikovski.
   a) no… sino
   b) no sólo… sino también
   c) sólo… y también
   d) no… pero

12. El ladrón fue condenado por _____ a dos años de cárcel.
   a) el juez
   b) el abogado
   c) el culpable
   d) el juicio

13. Si Vd. paga la _____, puede salir en libertad.
   a) la multa
   b) la fianza
   c) el delito
   d) al testigo

14. Juan y su hermana Angeles _____ tres años.
   a) tienen más de
   b) son menos de
   c) se llevan
   d) es mayor de

15. A. ¿Sabes?, me he casado
    B. _____
   a) ¡Qué bien!, ¡enhorabuena!
   b) No creo
   c) Sí, eso es bueno
   d) ¡Por fin!

16. A. ¿Y Juan? ¿Qué sabes de él?
    B. Nada, se fue de la empresa sin que nadie _____.
   a) dijera algo
   b) vio nada
   c) se enterara
   d) estaba allí

17. Como no te _____ la comida, no hay helado de postre.
   a) terminarás
   b) termines
   c) terminas
   d) terminaste

18. No pude llegar a tiempo a la reunión porque a mi marido _____ estropeó el coche.
   a) se
   b) se me
   c) se le
   d) se lo

19. A. ¿_____?
    B. Éste es más práctico y sale mucho más barato porque gasta menos gasolina.
   a) ¿Qué precio tiene?
   b) ¿Qué diferencia hay entre éste y aquél?
   c) ¿Qué es más práctico?
   d) ¿Qué quiere Vd.?

20. A. ¿Vendrá Andrés a la fiesta?
    B. _____
   a) Pues no sé, supongo que sí
   b) Estará enfadado
   c) Sí, siempre viene a las fiestas
   d) No

Contenidos gramaticales

VERBOS REGULARES

HABLAR (1ª CONJUGACIÓN)

INDICATIVO

Presente	Imperfecto	Indefinido	Futuro Imperfecto	Condicional
hablo	hablaba	hablé	hablaré	hablaría
hablas	hablabas	hablaste	hablarás	hablarías
habla	hablaba	habló	hablará	hablaría
hablamos	hablábamos	hablamos	hablaremos	hablaríamos
habláis	hablabais	hablasteis	hablaréis	hablaríais
hablan	hablaban	hablaron	hablarán	hablarían

Perfecto	Pluscuamperfecto	Anterior *	Futuro Perfecto	Cond. Compuesto
he hablado	había hablado	hube hablado	habré hablado	habría hablado
has hablado	habías hablado	hubiste hablado	habrás hablado	habrías hablado
ha hablado	había hablado	hubo hablado	habrá hablado	habría hablado
hemos hablado	habíamos hablado	hubimos hablado	habremos hablado	habríamos hablado
habéis hablado	habíais hablado	hubisteis hablado	habréis hablado	habríais hablado
han hablado	habían hablado	hubieron hablado	habrán hablado	habrían hablado

SUBJUNTIVO

Presente	Imperfecto	Futuro Imperfecto *
hable	hablara	hablare
hables	hablaras	hablares
hable	hablara	hablare
hablemos	habláramos	habláremos
habléis	hablarais	hablareis
hablen	hablaran	hablaren

Perfecto	Pluscuamperfecto	Futuro Perfecto *
haya hablado	hubiera hablado	hubiere hablado
hayas hablado	hubieras hablado	hubieres hablado
haya hablado	hubiera hablado	hubiere hablado
hayamos hablado	hubiéramos hablado	hubiéremos hablado
hayáis hablado	hubierais hablado	hubiereis hablado
hayan hablado	hubieran hablado	hubieren hablado

IMPERATIVO

habla /	no hables /
hable	no hables
hablad /	no habléis /
hablen	no hablen

FORMAS NO PERSONALES

Infinitivo: (Simple) hablar
(Compuesto) haber hablado
Participio: hablado
Gerundio: (Simple) hablando
(Compuesto) habiendo hablado

COMER (2ª CONJUGACIÓN)

INDICATIVO

Presente	Imperfecto	Indefinido	Futuro Imperfecto	Condicional
como	comía	comí	comeré	comería
comes	comías	comiste	comerás	comerías
come	comía	comió	comerá	comería
comemos	comíamos	comimos	comeremos	comeríamos
coméis	comíais	comisteis	comeréis	comeríais
comen	comían	comieron	comerán	comerían

Perfecto	Pluscuamperfecto	Anterior *	Futuro Perfecto	Cond. Compuesto
he comido	había comido	hube comido	habré comido	habría comido
has comido	habías comido	hubiste comido	habrás comido	habrías comido
ha comido	había comido	hubo comido	habrá comido	habría comido
hemos comido	habíamos comido	hubimos comido	habremos comido	habríamos comido
habéis comido	habíais comido	hubisteis comido	habréis comido	habríais comido
han comido	habían comido	hubieron comido	habrán comido	habrían comido

SUBJUNTIVO

IMPERATIVO

Presente	Imperfecto	Futuro Imperfecto *		
coma	comiera	comiere		
comas	comieras	comieres	come /	no comas /
coma	comiera	comiere	coma	no coma
comamos	comiéramos	comiéremos		
comáis	comierais	comiereis	comed /	no comáis /
coman	comieran	comieren	coman	no coman

Pefecto	Pluscuamperfecto	Futuro perfecto *
haya comido	hubiera comido	hubiere comido
hayas comido	hubieras comido	hubieres comido
haya comido	hubiera comido	hubiere comido
hayamos comido	hubiéramos comido	hubiéremos comido
hayáis comido	hubierais comido	hubiereis comido
hayan comido	hubieran comido	hubieren comido

FORMAS NO PERSONALES

Infinitivo: (Simple) comer
(Compuesto) haber comido
Participio: comido
Gerundio: (Simple) comiendo
(Compuesto) habiendo comido

VIVIR (3ª CONJUGACIÓN)

INDICATIVO

Presente	Imperfecto	Indefinido	Futuro Imperfecto	Condicional
vivo	vivía	viví	viviré	viviría
vives	vivías	viviste	vivirás	vivirías
vive	vivía	vivió	vivirá	viviría
vivimos	vivíamos	vivimos	viviremos	viviríamos
vivís	vivíais	vivisteis	viviréis	viviríais
viven	vivían	vivieron	vivirán	vivirían

Perfecto	Pluscuamperfecto	Anterior *	Futuro Perfecto	Cond. Perfecto
he vivido	había vivido	hube vivido	habré vivido	habría vivido
has vivido	habías vivido	hubiste vivido	habrás vivido	habrías vivido
ha vivido	había vivido	hubo vivido	habrá vivido	habría vivido
hemos vivido	habíamos vivido	hubimos vivido	habremos vivido	habríamos vivido
habéis vivido	habíais vivido	hubisteis vivido	habréis vivido	habríais vivido
han vivido	habían vivido	hubieron vivido	habrán vivido	habrían vivido

SUBJUNTIVO

IMPERATIVO

Presente	Imperfecto	Futuro Imperfecto *		
viva	viviera	viviere		
vivas	vivieras	vivieres	vive /	no vivas /
viva	viviera	viviere	viva	no viva
vivamos	viviéramos	viviéremos		
viváis	vivierais	viviereis	vivid /	no viváis /
vivan	vivieran	vivieren	vivan	no vivan

Pefecto	Pluscuamperfecto	Futuro perfecto *
haya vivido	hubiera vivido	hubiere vivido
hayas vivido	hubieras vivido	hubieres vivido
haya vivdo	hubiera vivido	hubiere vivido
hayamos vivido	hubiéramos vivido	hubiéramos vivido
hayáis vivido	hubierais vivido	hubiereis vivido
hayan vivido	hubieran vivido	hubieren vivido

FORMAS NO PERSONALES

Infinitivo: (Simple)vivir
(Compuesto) haber vivido
Participio: vivido
Gerundio: (Simple) viviendo
(Compuesto) habiendo vivido

* Los tiempos señalados con asterisco son prácticamente inusuales en el español de hoy en día. Se incluyen, no obstante, para completar el modelo teórico de las conjugaciones.

VERBOS IRREGULARES

1)VERBOS IRREGULARES EN PRESENTE

A) E,I > IE

	INDICATIVO	SUBJUNTIVO	IMPERATIVO
Pensar	pienso	piense	
Adquirir	piensas	pienses	piensa / piense
Atravesar	piensa	piense	
Despertar	pensamos	pensemos	
Empezar	pensáis	penséis	pensad / piensen
Recomendar	piensa	piensen	
Merendar			
Negar			
Sentir			

B) O,U > UE

Contar	cuento	cuente	
Dormir	cuentas	cuentes	cuenta / cuente
Acordar	cuenta	cuente	
Recordar	contamos	contemos	
Costar	contáis	contéis	contad / cuenten
Mostrar	cuentan	cuenten	
Jugar			
Volar			
Volver			

C) E > I

Pedir	pido	pida	
Despedir	pides	pidas	pide / pida
Vestir	pide	pida	
Seguir	pedimos	pidamos	
Corregir	pedís	pidáis	pedid / pidan
Servir	piden	pidan	

D) C > G

Hacer	hago	haga	
Deshacer	haces	hagas	haz / haga
Satisfacer	hace	haga	
Yacer	hacemos	hagamos	
	hacéis	hagáis	haced /hagan
	hacen	hagan	

E) C > Z C

Conocer	conozco	conozca	
Parecer	conoces	conozcas	conoce / conozca
Conducir	conoce	conozca	
Lucir	conocemos	conozcamos	

E) | C > Z C |

Traducir	conocéis	conozcáis	conoced / conozcan
Nacer	conocen	conozcan	
Introducir			

F) | N > N G |

Poner	pongo	ponga	
Tener	pones	pongas	pon / ponga
Obtener	pone	ponga	
Prevenir	ponemos	pongamos	
Detener	ponéis	pongáis	poned / pongan
Suponer	ponen	pongan	
Mantener			

2) VERBOS IRREGULARES EN FUTURO Y CONDICIONAL

	FUTURO	CONDICIONAL
Saber	sabré	sabría
Poner	pondré	pondría
Querer	querré	querría
Hacer	haré	haría
Decir	diré	diría
Salir	saldré	saldría

3) VERBOS IRREGULARES EN PRETERITO INDEFINIDO E IMPERFECTO DE SUBJUNTIVO

	INDEFINIDO	IMPERFECTO DE SUBJUNTIVO
Traer	traje	trajera
Decir	dije	dijera
Hacer	hice	hiciera
Querer	quise	quisiera
Venir	vine	viniera
Andar	anduve	anduviera
Conducir	conduje	condujera
Estar	estuve	estuviera
Caber	cupe	cupiera
Poner	puse	pusiera
Poder	pude	pudiera
Tener	tuve	tuviera
Ver	vi	viera
Ser	fui	fuera
Ir	fui	fuera
Dar	di	diera

4) PARTICIPIOS IRREGULARES

	PARTICIPIO
Decir	dicho
Hacer	hecho
Abrir	abierto
Absolver	absuelto
Cubrir	cubierto
Descubrir	descubierto
Describir	descrito
Devolver	devuelto
Disponer	dispuesto
Envolver	envuelto
Escribir	escrito
Disolver	disuelto
Freír	frito

ORACIONES SUBORDINADAS

A) ADVERBIALES

1. TEMPORALES

Nexos: CUANDO, EN CUANTO, MIENTRAS, SIEMPRE QUE, HASTA QUE, ANTES QUE.

- **Siempre que,   mientras**   + INDICATIVO

Siempre que: Indica acciones repetidas y habituales en el presente o en el pasado. También indica frecuencia y equivale a " cada vez que".

Ej.: *Voy al pueblo siempre que tengo unos días libres.*

En contadas ocasiones, siempre que + SUBJUNTIVO, con valor temporal.

Ej.: *Te echaré de menos, pero, siempre que vaya por Salamanca, iré a verte.*

Mientras: Expresa simultaneidad en el pasado, presente o en el futuro.

Ej.: *Mientras yo compro el pescado, ponte tú en la cola de la frutería.*

- **Cuando, en cuanto, hasta que** + INDICATIVO / SUBJUNTIVO

Cuando: Indica a) simultaneidad

Ej.: *Cuando estudio, oigo música.*

b) sucesión.

Ej.: *Cuando llego a casa, pongo música.*

En cuanto: Indica sucesión inmediata.

Ej.: *En cuanto llegó, empezó a discutir.*
En cuanto llegue a casa, hablaré con él.

Hasta que: Indica término de la acción.

Ej.: *No se acuesta hasta que no termina el último programa de televisión.*

- **Antes de que** + SUBJUNTIVO.   **Antes de** + INFINITIVO

Si las dos oraciones tienen el mismo sujeto:

Ej: *Antes de tomarte la píldora, debes comer algo.*

Si el sujeto es diferente:

Ej: *Antes de que le diesen la noticia, ya presentía lo que le iba a suceder.*

2) CAUSALES

Nexos: PORQUE, PUESTO QUE, YA QUE, COMO + INDICATIVO

- Como + INDICATIVO siempre va antepuesto a la oración principal.

Ej.: *Como no estaba en la ciudad, nos fuimos sin verlo.*

3) CONSECUTIVAS

Nexos: TAN/TANTO... QUE + INDICATIVO

Expresan la consecuencia de una acción, circunstancia o cualidad expresada en la oración principal.

- VERBO + **Tanto** + **que**

Ej.: *Habla tanto que me marea.*

- **Tan** + ADJETIVO + **que**

Ej.: *Fue tan buena la representación que los actores tuvieron que salir a saludar varias veces.*

-**Tan** + ADVERBIO + **que**

Ej.: *Canta tan mal que, cada vez que lo hace, llueve.*

-**Tanto/ a/ os/ as** + SUSTANTIVO + **que**

Ej.: *Trabajo tantas horas que llego a casa molido.*

4) CONDICIONALES

Nexos: SI, EN CASO DE QUE, SIEMPRE QUE, COMO.

-**Si** expresa simple condición.

a) Probable:
PRESENTE/FUTURO DE INDICATIVO/IMPERATIVO + **SI** + PRESENTE INDICATIVO

Ej.: *Iré si me lo pide.*

b) Poco probable o imposible de cumplir:
CONDICIONAL SIMPLE + **SI** + IMPERFECTO DE SUBJUNTIVO

Ej.: *Iría si me lo pidiera.*

c) Imposible de cumplir en el pasado:
PLUSCUAMPERFECTO SUBJUNTIVO/CONDICIONAL COMPUESTO + **SI** + PLUSCUAMPERFECTO SUBJUNTIVO

Ej.: *Habría/Hubiera ido si me lo hubiera pedido.*

d) Condición que no se cumplió en el pasado, y cuyos efectos repercuten en el presente:
CONDICIONAL SIMPLE + **SI** + PLUSCUAMPERFECTO SUBJUNTIVO

Ej.: *Ahora tendría un buen trabajo si hubiera seguido los consejos de su padre.*

Todos los demás nexos condicionales sólo admiten el SUBJUNTIVO.

- **En caso de que:** Expresa simple condición

> Ej.: *Hubiera ido a la entrega de premios en caso de que me hubiera invitado.*

- **Siempre que:** Expresa condición indispensable para el cumplimiento de la acción principal.

> Ej.: *Aceptaré ese trabajo siempre que me lo paguen bien.*

- **Como:** La frase con **como** va siempre delante y tiene un significado de advertencia.

> Ej.: *Como no asistas a clase regularmente, no podrás hacer el examen.*

- **Sin que:** Equivale a "si no"

> Ej.: *No te levantarás de la mesa sin que hayamos terminado todos.*

B) SUSTANTIVAS

-Dependientes de verbos que significan "opinión", como PENSAR, CREER, SUPONER, ESTAR SEGURO, PARECER y "percepción", como NOTAR, VER, OBSERVAR, SABER + INDICATIVO.

> Ej.: *Creo que este año el número de alumnos por clase será más bajo.*

• Si estos mismos verbos van en forma negativa, el verbo de la oración dependiente va en SUBJUNTIVO.

> Ej.: *A mí no me parece que Ana esté más gorda.*
> *No estoy seguro de que la paz sea aún posible.*

• Si el verbo principal va en Imperativo, el verbo de la oración dependiente irá en INDICATIVO.

> Ej.: *No creas que estoy loca.*

• Si la oración dependiente es interrogativa indirecta, lleva el verbo en INDICATIVO.

> Ej.: *No sé cómo ha llegado hasta aquí.*

- Es/Está + SUSTANTIVO/ADJETIVO + que + INDICATIVO/SUBJUNTIVO

Es evidente
Es un hecho
Es cierto   + que + INDICATIVO
Está claro

> Ej.: *Es evidente que ahora vivimos mejor que antes.*

• Si el verbo SER/ ESTAR está en forma negativa, rige SUBJUNTIVO

> Ej.: *No es cierto que yo llegue tarde a trabajar todos los días.*

Es una pena
Es extraño
Es probable   + que + SUBJUNTIVO
Es mejor
Es lógico

• Si la oración subordinada no tiene sujeto determinado, entonces el verbo va en INFINITIVO.

Ej..: *Es mejor reír que llorar.*

- Verbos que significan "transmitir una información", como DECIR, CONTAR, DECLARAR, MANIFESTAR, COMENTAR + que + INDICATIVO.

Ej.: *El presidente del Gobierno ha declarado que los problemas de la vivienda serán tratados en el próximo Consejo de Ministros.*

- Verbos que significan "sentimiento"

PERDONAR
LAMENTAR   + que + SUBJUNTIVO
SENTIR

Me extraña
Me molesta   + que + SUBJUNTIVO
Me gusta

Ej.: *Siento que tuvieras que esperar tanto rato, pero me fue imposible llegar antes.*

• Si el sujeto de la oración principal y la subordinada es el mismo, el verbo de la segunda irá en INFINITIVO
Ej.: *Sintió mucho llegar tarde al entierro de su tía.*

• CORRESPONDENCIA DE TIEMPOS

A) Si el verbo principal va en presente, el verbo de la oración subordinada puede ir en cualquier tiempo: Presente, Pasado o Futuro (de Indicativo o Subjuntivo, según la regla correspondientes)

Ej.: *Es muy probable que le den el puesto de trabajo, es el mejor de todos los candidatos.*
Es muy probable que le hayan dado…
Es muy probable que anoche salieran, por eso no cogían el teléfono.
Es muy probable que anoche hubieran salido…

B) Si el verbo principal va en Pasado, el verbo subordinado necesariamente va en Pasado:

Ej.: *Fue una pena que no vinieras con nosotros, nos lo pasamos divinamente.*

- Verbos que expresan "orden" y "deseo" como DECIR, QUERER, DESEAR, PROHIBIR, ORDENAR + que + SUBJUNTIVO.

> Ej.: *Te prohibo que me hables en ese tono.*
> *Me gustaría que tuvierais éxito en vuestra empresa.*

• CORRESPONDENCIA DE TIEMPOS

A) Si el verbo principal va en Presente, el verbo de la subordinada irá en Presente de Subjuntivo.
   Ej.: No quiero que vengas más tarde de las diez.

B) Si el verbo principal va en Pasado, el verbo subordinado irá en Imperfecto de Subjuntivo.
   Ej.: Le dijo que viniera antes de las diez.

Contenidos Comunicativos

VALORAR

No te puedes imaginar cómo ha crecido la niña.
No sabes lo bien que juega al tenis Juan.
A. Mira qué tríptico tan original, ¿te gusta?
B. Sí, a mí también me parece original.

SENTIMIENTOS

1. Fastidio, disgusto
A. ¿Qué tal el nuevo curso?
B. No me hables, todo son disgustos.

¿Cómo?, ¿que se te ha olvidado la cámara? ¡Vaya, hombre!

2. Lástima
Es una pena que no puedas trabajar en lo que te gusta.

3. Resignación
¡Qué se le va a hacer! ¡Así es la vida!

4. Despreocupación / Indiferencia
A. Se ha empeñado en abrir una tienda de ropa de niños y ya hay dos en la misma calle.
B. Allá él, es muy tozudo.

5. Deseo
¡Ojalá lleguemos a tiempo!

6. Lamentación
¡Ojalá hubiera terminado la carrera de Medicina!

USOS SOCIALES

1. Interés por una persona
¿Qué ha sido de Ana?, hace mucho que no sé nada de ella.

2. Disculparse
Lo siento, perdona que me haya retrasado.

3. Felicitar
Enhorabuena

4.Enviar saludos a un tercero
A. Dale recuerdos a tu madre de mi parte.
B. Gracias, se los daré.

5. Animar, tranquilizar
Anímate, ya verás como todo se arregla.

INSTRUCCIONES, SUGERENCIAS, ÓRDENES

1. Sugerencias
- A ver si me llamas alguna vez.
- ¿Cómo no te marchas unos días a descansar?, estás agotado.
- ¿Y si fuéramos a casa de Jesús y Lola?

2. Consejos
- Deberías llamarlo, a lo mejor está enfermo.
- Es mejor que saquemos las entradas a primera hora.

3. Instrucciones
Escriban su nombre y dirección en esta tarjeta y luego pasen al salón, por favor.

4. Peticiones
¿Podría venir a recoger el reloj mañana?

5. Recriminaciones
- Podrías haberme avisado, ¿no?
- ¿Cómo es que vienes a estas horas?

6. Proponer
- ¿Qué hacemos?, ¿nos vamos o esperamos a ver qué pasa?

OPINIONES

- Está claro que, con él, por las buenas no adelantarás nada.
- Es natural que no quiera saber nada de nosotros, nos portamos fatal.
- Creo que con tantas conferencias de paz no se adelanta nada.

HIPÓTESIS

- Es probable que Ramiro triunfe en el mundo de los negocios.
- Lo más seguro es que la policía tenga ya alguna pista de los autores del atentado.

TIEMPO

1. Frecuencia

A. ¿Qué ha pasado con El Independiente?
B. Que antes salía a diario y ahora sale cada quince días.

2. Tiempo aproximado

- Seguramente nos darán la llave de la casa a finales de mes.
- Te recojo sobre las doce, ¿habrás terminado?

PARA ESCUCHAR (TRANSCRIPCIONES)

• UNIDAD 1

- Luis, ¿cuál es su rutina diaria?
- Pues mira, vivo al revés de la gente normal. Me levanto a las nueve de la noche, me arreglo, como y llego a Radio Nacional de España a las doce. Salgo de trabajar a las diez de la mañana y me acuesto a las dos de la tarde.
- ¿Cómo puede llevar ese horario sin desquiciarse?
- Llevando una vida ordenada dentro del desorden. Me conciencio de que tengo que meterme en la cama a las dos de la tarde y dormir, pase lo que pase. Afortunadamente, tengo un sueño profundísimo.
- ¿Qué hace para mantenerse en forma?
- En cuanto al régimen alimenticio, tampoco es estándar, procuro no comer mucho. Un desayuno fuerte, a las diez de la mañana. A mediodía, casi siempre, ensaladilla rusa. Al levantarme, por la noche como poco, un plato de verduras y solomillo a la plancha o algo así. Tomo zumo de naranja diariamente. Además, tres veces por semana tengo una sesión de gimnasia de mantenimiento durante 90 minutos. Los viernes y los domingos juego al baloncesto y en vacaciones practico la natación y la pesca submarina. Alguna vez he pensado en irme a una isla desierta, pero creo que no aguantaría más de 15 días.
- ¿Y su familia?, ¿cuándo la ve?
- Como comprenderás, los días laborables me queda poco tiempo para estar con los míos, sólo puedo ver a mis hijos un rato por la noche y a mi mujer a mediodía. Sin embargo, los fines de semana los dedico íntegramente a jugar y pasear con ellos.

• UNIDAD 2

Recital de Alfredo Kraus
Realmente, los aficionados a la música clásica están de suerte. Desde el último mes del pasado año, no hay semana en la que falte algún gran recital. Tras los recientes conciertos de intérpretes como Montserrat Caballé o Plácido Domingo, en esta semana que nos ocupa le toca el turno a Alfredo Kraus. El gran tenor canario ofrecerá un recital extraordinario el próximo martes en el Auditorio Nacional a las 22 horas, acompañado al piano por Edelmiro Arnaltes.

Jornadas dedicadas al tiempo libre
En el Recinto ferial de la Casa de Campo y durante ocho días se celebra la V edición de Expo Ocio. En el apretado programa que empieza hoy lunes 2, a las 11 horas, podemos encontrar temas como el paisajismo en la ciudad, la pintura sobre cristal, el baile español, el maquillaje, las máscaras, un desfile de modelos y, como colofón, dos conciertos, a las 19.30 y a las 20 horas, ofrecidos por el Conservatorio de Ferraz. La exposición estará abierta todos los días de 11 a 21 horas.

II Festival de Flamenco de Tarantos
Si su predilección es el Flamenco, en el Colegio Mayor Universitario S. Juan Evangelista se celebra hoy el II Festival de Flamenco de Tarantos. Este festival ofrece un exquisito repertorio del cante minero levantino. Con la colaboración de la peña flamenca El Taranto, de Almería, viene a Madrid una gran representación artística. José Sorroche, acompañado por el cantaor Juan Gómez, trae las raíces de su tierra almeriense; le acompañará Alfonso Salmerón, y, a la guitarra, el gitanillo de 14 años Niño Josele. El programa se completa con los incomparables José Mercé, Vicente Soto, Pansequito y Aurora Vargas, unos cantaores de primera fila. El guitarrista Juan Carmona, "Habichuela", pondrá el broche final a este festival de Taranto. No lo olvide, hoy, viernes 6, a las 20 horas.

Primeras Jornadas de Vídeo
La Junta Municipal de Moncloa ha organizado unas Jornadas de Vídeo que se celebran en el Centro Cultural de Moncloa hasta el día 31 de este mes. En estas sesiones se presentarán los primeros 20 vídeos que se realizaron en el mundo; además se mostrarán los trabajos realizados en España en la última década y las producciones de los países del Este de Europa, así como una selección del European Media Art Festival 1990. También habrá una serie de mesas redondas sobre las posibilidades de formación del vídeo y las expectativas de este soporte en nuestro país. Para hoy, día 24, a las 19 horas, están previstas las proyecciones de siete cortos, con una duración, en total, de 107 minutos.

Concierto del cantante caribeño Juan Luis Guerra
Pero si prefiere quedarse en casa, sepa que la 2 emite hoy, martes 13, a partir de las 21.10 h. el último concierto en España del cantante dominicano Juan Luis Guerra, junto con su grupo 4:40. Juan Luis Guerra, famoso en toda América Latina, se ha dado a conocer en España con canciones como "Ojalá que llueva café" o "Burbujas de amor".

• UNIDAD 3

A. Hago previsiones de tiempo atmosférico. Para ello, en mi trabajo observamos los fenómenos que definen el estado de la atmósfera-viento, temperatura, humedad, lluvia, nubes- y reflejamos los resultados en los mapas del tiempo.

Utilizamos aparatos muy complicados. Trabajo en turnos de mañana, tarde o noche. Tengo un mes de vacaciones al año y mi sueldo es de 220.000 pts. al mes.

B. Yo trabajo en tierra, aunque otros compañeros míos lo hacen en avión. Mi trabajo consiste en preparar todos aquellos artículos de consumo que se encuentran en un avión, desde la alimentación hasta objetos de regalo, alguna ropa, bebidas, etc. Estos artículos se venden durante el vuelo a un precio especial, libre de impuestos. Trabajo en turnos de mañana, tarde o noche y tengo que coger las vacaciones en los meses en que hay menos tráfico de pasajeros, normalmente repartidas a lo largo del año.

C. Yo me dedico a seleccionar, extractar, catalogar y archivar todas aquellas noticias y documentos, escritos y audiovisuales, que interesan al organismo para el que trabajo. Todo este material está a disposición del personal de la casa y de las personas interesadas en consultarlo o estudiarlo. Trabajo de lunes a viernes, de 8 a 16 h. y gano unas 160.000 ptas. mensuales.

D. Por mi parte, yo me dedico a buscar modelos y objetos relacionados con el producto que vamos a anunciar. Luego tengo que embellecer y buscar la mejor manera de presentar esos objetos que el fotógrafo tendrá que fotografiar.

Trabajo para el cine y todos aquelos medios en los que hay publicidad, como la televisión, la prensa, etc. No tengo horario ni sueldo fijo, sólo trabajo cuando me llaman. Y, por tanto, nunca sé cuándo podré tomarme las vacaciones.

• UNIDAD 4

José Manuel Hernández Antolín tiene 31 años y es notario, además de registrador de la propiedad en el barrio madrileño de Carabanchel. Vive en la casa de sus padres con tres hermanos más de los ocho que son en total, en un amplio piso del barrio de Salamanca. José Manuel dice que vive en casa porque está muy bien, "trabajo muchas horas y me es más cómodo llegar y encontrarme con los pantalones planchados y la comida preparada". Sin embargo, al terminar sus oposiciones José Manuel decidió ahorrar y comprarse un piso que no ha llegado a habitar. Junto a él viven su hermano Nacho, de 27 años, que es arquitecto; Mamen, de 24, que es abogada, y Arantxa, de 21. Su padre es farmacéutico y regenta una farmacia junto a su madre, que es química. José Manuel opina que sus padres no son excesivamente liberales, pero cuando sale por la noche suele acostarse a las siete de la mañana. Dice no tener novia –"con el ritmo de vida que llevo no me aguantaría nadie"– y que lo que más le gusta de su vida de familia es la independencia.

La vida de los Hernández Antolín comienza a las ocho de la mañana, cuando todos salen a trabajar. A la hora de comer acude a casa el que puede, y tras el trabajo los hijos suelen salir con sus amigos. "En alguna ocasión mi padre me ha llamado al despacho para saber cómo estoy, porque llevamos varios días sin vernos", explica aceleradamente José Manuel, que piensa que la presencia de sus hermanos y la suya en casa no crea ninguna molestia, "por eso no hay motivos de roce", añade, "y la única servidumbre que tengo es llevar a mi padre de cuando en cuando al aeropuerto".

• UNIDAD 5

En el restaurante
1. Camarero: ¡Buenos días!
    Sres. Rodero: ¡Buenos días!, tenemos mesa reservada.
    Camarero: ¿A nombre de quién?
    Sr. Rodero: De Fernando Rodero
    Camarero: Un momento...

    Camarero: Lo siento mucho, señor, en este momento no tenemos ninguna mesa libre, tendrán ustedes que esperar.
    Sr. Rodero: Pero si hemos llamado esta mañana para reservar una mesa...
    Camarero: Sí, pero según nuestros cálculos, tendría que quedar libre la número 8, y todavía no han terminado de comer.
    Sr. Rodero: No lo entiendo, ¿cómo es posible que ahora tengamos que esperar si yo he dicho que me guardaran una mesa para las dos y ahora mismo son las dos en punto?

Camarero:	Sí señor, tiene usted razón, pero ya le he dicho que la culpa es nuestra, además, yo le aseguro que no tendrán que esperar mucho. Si lo desean, pueden pasar al bar a tomar algo, por cuenta de la casa, por supuesto.
Sr. Rodero:	Bueno, pero ¿cuánto tiempo tendremos que esperar?
Camarero:	No más de 15 minutos, ya están con los postres.
Sr. Rodero:	En fin, esperaremos. ¿Dónde está el bar?
Camarero:	Por allí, a la derecha.

2
Pepi:	¡Qué frío hace aquí!, ¿no?
Juan:	Sí, parece que tienen el aire a toda marcha. Voy a decirle algo al camarero.
	... ¡Camarero!.
Camarero:	¿Sí?.
Juan:	¿No podría bajar un poco el aire acondicionado?, estamos helados.
Camarero:	Pues lo siento, pero ya está al mínimo.
Juan:	¿Cómo es posible que esté al mínimo, si debemos estar a 10°?
Camarero:	Pues sí, así es, la verdad es que no va muy bien, enfría demasiado. Pero si lo quitamos, con el calor que hace, la gente protesta.
Juan:	Sí, pero nosotros estamos helados, Vd. dirá qué hacemos.
Camarero:	Bueno, quizás si se ponen en aquella mesa de allí, más lejos del aparato, no tendrán tanto frío.
Juan:	Vale, vamos a probar. Si seguimos con frío, tendrá que quitarlo un rato.

3.
Pepi:	¡Esto no se puede tomar!
Juan:	¿Qué le pasa?
Pepi:	El gazpacho, se les ha ido la mano en el vinagre.
	¡Camarero!, por favor.
Camarero:	¿Sí?
Juan:	Este gazpacho está incomestible. Tiene demasiado vinagre.
Camarero:	Lo siento muchísimo, señor. Voy a llevármelo.

...
Camarero:	Efectivamente, señora, parece que ha sido un error del cocinero. El problema es que todo el gazpacho que tenemos está igual. ¿Quiere que le traiga la carta y escoge otro primer plato? Por cuenta de la casa, por supuesto.
Juan:	Vaya, es una pena. Sí, sí, traiga la carta, a ver qué hay.
Camarero:	En seguida, ahora se la traigo.

• UNIDAD 6

Locutora: Hola, buenos días, son las siete y veintiséis, es el momento de conocer el estado del tiempo y las temperaturas en las diferentes comunidades autónomas. Empezamos en Galicia y el Cantábrico, buenos días.

- Hola, buenos días, cielo nuboso en el País Vasco y despejado en Galicia, con vientos flojos del Norte. Temperaturas máximas de 19° y mínimas de 4°.

Locutora: Aragón, Navarra y Rioja, buenos días.

- Hola, buenos días. Tiempo muy nuboso en el Pirineo y escasa nubosidad en el resto.
- Cataluña, Barcelona.
  Muy nuboso en el Pirineo y cielos casi despejados en el resto.
- Castilla-León, Valladolid.
  Buenos días, aquí en Castilla-León tenemos cielo parcialmente nuboso y casi despejado en el resto.
- Castilla-La Mancha y Extremadura. Predominio de cielos casi despejados en toda la zona, con neblinas en puntos de La Mancha a primeras horas.
- Área de Madrid. Parcialmente nuboso en el Sistema Central y casi despejado en el resto. Neblinas.
- Murcia y Comunidad Valenciana. Cielos despejados, con neblinas en el interior y vientos flojos del Noreste. Máximas de 24° y mínimas de 6°.
- Andalucía. Cielos parcialmente nubosos en el área del Estrecho, Ceuta y Melilla, con neblinas y formación de hielo por encima de 2.200 metros.
  Vientos moderadamente fuertes del Este en el Estrecho.
- Baleares. Cielo parcialmente nuboso en Menorca a intervalos. Predominio del cielo casi despejado en el resto.
- Canarias. Cielo parcialmente nuboso en la mitad oriental del archipiélago, predominando los cielos casi despejados en el resto.

- En el resto de España cielos despejados o casi despejados, salvo en las montañas, Sistema Central, Sierra Nevada y Sierra Morena, donde habrá nubes y neblinas por la tarde. Vientos flojos del Noroeste y subida de las temperaturas diurnas.

• UNIDAD 7

1. El: ¿A qué hora llega el avión?
   Ella: A las siete, péro no hace falta que vengas a recogernos, cogeremos un taxi.
   El: No, si no me cuesta nada. Si veis que no estoy a las siete, esperadme un poco, porque salgo a las seis y media de trabajar y si hay mucho tráfico puedo retrasarme un poco.

2. Médico.- Si hace todo lo que le digo, se pondrá bien en poco tiempo. Recuerde: coma todo sin sal y poca grasa. No pruebe ni el alcohol ni el tabaco, descanse, y sobre todo, mucha tranquilidad, no se ponga nervioso.

3. Andrés.- Para llegar, no tendrás ningún problema. Primero, en el km. 312 de la carretera de Andalucía, te desvías a la izquierda. De allí salen dos caminos, uno asfaltado y otro sin asfaltar, coge el segundo y, a unos 5 kms, tuerce a la derecha y enseguida encontrarás la casa.

4. Pili.- ¿No te has enterado? Han abierto una peluquería nueva en mi calle, buenísima, y no es cara. Ve esta tarde mismo, que no habrá mucha gente, ya verás como te gusta.

• UNIDAD 8

Cuide su coche
Si no quiere pasar por la desagradable experiencia de que su coche le deje tirado - justo cuando tenía una cita importante-, debe cuidar su motor. Y eso significa no saltarse las revisiones periódicas de rigor y llevarlo al mecánico a la menor señal de que algo no va bien. Si su coche todavía está en período de garantía, las reparaciones serán gratuitas y en un taller oficial de la marca. Pero suele ocurrir que el coche espera a que venza la garantía para comenzar a dar problemas. Entonces se encontrará con el dilema de a quién acudir. No se precipite, porque, si no acierta con el taller adecuado, se encontrará con más gastos de los previstos.

Elegir mecánico
Pregunte a sus amigos para ver si saben de un taller de confianza. Que le cuenten sus experiencias: eficacia, tiempo empleado en la reparación, precios, etc. En cuanto tenga un taller con buenas referencias, visítelo lo antes posible para conocer al mecánico. Explíquele detalladamente los problemas de funcionamiento que ha notado en su automóvil para que pueda realizar un diagnóstico fácilmente. Lo ideal sería que condujera el coche junto a Vd., para detectar los fallos del vehículo antes de ponerse manos a la obra.

Todo por escrito
Es fundamental que pida el presupuesto de la reparación, donde deben figurar los siguientes datos: el número del taller en el Registro Especial (este número lo necesitará si, más adelante, tiene que hacer alguna reclamación); su nombre y domicilio; la marca, modelo y matrícula de su coche y los kilómetros recorridos por el mismo; la fecha y la firma del responsable; el período de validez del presupuesto y, lo más importante, una descripción detallada de las reparaciones y/o sustituciones de piezas. Por último, debe especificar el día de entrega del vehículo ya reparado. No firme nada sin leerlo previamente.

Precauciones necesarias
Una vez reparado el vehículo, pida una factura cuando vaya a pagar. Deberá estar firmada y constarán en ella todos los gastos por el trabajo realizado y las piezas sustituidas, con el desglose del precio por cada concepto. En caso de haber autorizado el uso de piezas reconstruidas o nuevas, puede solicitar una garantía por escrito de las mismas. Si lo desea, pida que le den las piezas sustituidas, para tener constancia de que estaban defectuosas; incluso puede solicitar al mecánico que, con las piezas en la mano, le explique en qué ha consistido la avería.
La reparación total ofrece una garantía por tres meses o 2.000 kilómetros a partir de la fecha en que retira el coche del taller. Compruebe que se haga mención de ello en la factura y revise bien la cuenta antes de pagar.
Por último, guarde los recibos y téngalos a mano junto con otros anteriores o con los papeles del coche. Constituirán su historial, que le será muy útil ante cualquier reclamación.

• UNIDAD 9

Entrevista a LYDIA BOSCH

FOTOGRAMAS: *Cine, teatro, televisión...¡No te puedes quejar!*
LYDIA BOSCH: Sí, estoy realmente contenta por trabajar en los tres medios, porque los tres ofrecen formas diferentes de realizarte como actriz; son tres estilos de interpretar y de sentir distintos. El teatro es más directo, el contacto con el público es inmediato y enseguida sientes la reacción del espectador; el cine te permite cambiar más, afinar más el trabajo, y la relación con el público es tardía e imprevisible; en televisión lo más importante es el factor popularidad, el entrar en millones de casas a la vez, que te permite ser conocida enseguida y, si lo haces bien, ser llamada para trabajar en los demás medios. Me gustaría seguir compaginándolos los tres, si puedo, porque es una manera maravillosa de enriquecerse como actriz.
F.: *¿Cuál es tu actitud con respecto a estos tres medios expresivos?¿Te comportas igual en los tres o varías tu registro?*
L.B.: Yo abordo los tres campos de la misma forma: trato de ser lo más natural posible y *vivir* lo que se me presenta como si formase parte de mi vida cotidiana, ya sea como presentadora o como actriz de cine o de teatro.
F.: *¿Intrepretas el papel de presentadora en "Sábado noche"?*
L.B.: Se le puede considerar una forma de interpretación, aunque en ese caso concreto yo no estoy muy de acuerdo con ella, ya que nos ceñimos estrictamente a un guión muy concreto, que no podemos cambiar. A mí me gustaría a veces emplear otras palabras, cambiar algo, pero no te dejan. No es tanto interpretar como estudiarte bien unas frases y tratar de decirlas lo más naturalmente posible.
F.: *¿El trabajo televisivo no quema un poco a una actriz?¿No es difícil convencer a la gente de que eres una actriz seria cuando te están viendo todas las semanas sonriendo y presentando a otros?*
L.B.: El hecho de ser conocida yo no creo que sea malo porque, bueno, de alguna manera *vendes.* Si me hubiese encasillado en un papel de presentadora, que no es mi caso, entonces el problema sería más serio. Pero yo, afortunadamente, he tenido la suerte de compaginar mi trabajo en televisión con obras de teatro y películas. He podido demostrar que puedo hacer de todo, que me desenvuelvo bien en medios muy diferentes entre sí.
F.: *Ser guapa, ¿ayuda o encasilla?*
L.B.: Hombre, yo creo que en un principio, sólo en un principio, ser atractiva te ayuda mucho, porque la gente se fija un poco más en ti que si eres bizca, coja, gorda, fofa y con gafas, es lógico, pero no lo es todo. Hay una belleza interior, una fuerza especial que es la que vale a la hora de actuar, la que se transmite al público.

• UNIDAD 10

1) **17 ANIMALES HAN MUERTO DURANTE LA PASADA DÉCADA**
La supervivencia de los osos asturianos depende en la actualidad de seis hembras.

Entre 1.980 y 1.989 se tuvo noticia de la muerte de 17 ejemplares de oso, aunque se sospecha que pudieron ser algunos más.
La supervivencia de los osos asturianos, los animales más emblemáticos de la región, depende en estos momentos de seis hembras que crían en los montes, según las informaciones de la Agencia de Medio Ambiente. Aunque el censo de la cordillera Cantábrica se puede aproximar a los 100 ejemplares, las dificultades para la continuidad de la especie son grandes. La dispersión de machos y hembras, las peculiaridades genéticas y biológicas y el furtivismo hacen que la situación sea considerada crítica por las autoridades, que, el pasado 24 de enero, aprobaron un Plan de Recuperación de Oso. En el plan se contemplan, entre otras medidas, la ampliación de la plantilla de guardería para alcanzar la dotación de un guarda por cada 2.500 hectáreas de zona osera y la creación de patrullas móviles.
En estos momentos, técnicos del Principado de Asturias y el resto de las comunidades autónomas con población de osos preparan un proyecto global para la recuperación del oso, que será presentado a la CE para su aprobación, posiblemente, en septiembre. Según el consejero de la Presidencia del Principado, la comunidad podría conceder subvenciones entre los seis y los diez millones de pesetas, destinadas, fundamentalmente, a la reparación de los daños causados por los animales.

2) **SANIDAD PONE EN MARCHA MEDIDAS PARA EVITAR QUE LOS CONSUMIDORES CONTAMINEN**
En las jornadas sobre sanidad ambiental que se celebraron en Madrid, el ministro de Sanidad, Julián García Vargas, anunció una serie de actuaciones y disposiciones para evitar los efectos del deterioro del medio ambiente en la salud.
Entre ellas destacó el Plan Nacional de Cloración de las aguas para poblaciones de menos de 5.000 habitaciones, el real decreto de eliminación de residuos clínicos y el proyecto de directiva comunitaria sobre etiquetado ecológico de los alimentos.

El ministro también anunció un seguimiento sistemático de la contaminación química de las aguas subterráneas y un plan piloto para saber los efectos de los vertidos de fosfatos y nitratos.

García Vargas dijo que la prevención y tratamiento de las patologías afectadas por sucesos medioambientales exige actuaciones a desarrollar en colaboración con los ministerios de Obras Públicas, Industria y Agricultura y las administraciones autonómicas y locales.

CONCIENCIAR AL CONSUMIDOR

César Braña, secretario general de Consumo, explicó que la directiva sobre etiquetado ecológico pretende que el consumidor europeo conozca el impacto medio ambiental que tiene la utilización de un producto y le permita actuar de forma que evite este efecto degradante.

Se pretende que esta información al consumidor tenga también un efecto disuasorio para las empresas, que eviten el empleo de sustancias que por su difícil eliminación o por sus efectos sobre la salud puedan retraer al comprador sobre su utilización.

Braña explicó que hay tres agentes importantes sobre los que actuar en política medioambiental: el aire, el agua y las radiaciones ionizantes. El plan de actuación consiste en tratar de preservarlas de los efectos negativos que para la salud tiene el uso de los productos de consumo.

3) LA POLICÍA DISPERSA UNA MANIFESTACIÓN DE "OKUPAS"

Una unidad de policías antidisturbios dispersó el pasado viernes una manifestación de *okupas* que abogaban por la toma de viviendas vacías como medida radical contra el encarecimiento imparable de los pisos.

Unos 250 manifestantes, según la policía, se concentraron en la glorieta de Atocha, para desplazarse luego hacia la plaza de la Cebada. En este lugar, varios jóvenes incendiaron cubos de basura, rompieron cristales de autobuses y cruzaron varios coches en la calzada.

Como resultado de la actuación de los antidisturbios, fue detenido el italiano Kiel Mamarella, de 18 años, al que se le incautó un potente tirachinas. La Delegación del Gobierno no había autorizado la manifestación.

• UNIDAD 11

BOLETIN 12 H.

IRAK

Fuentes oficiales irakíes han asegurado hoy que los documentos sobre armamento nuclear, incautados ayer por el régimen de Bagdad, han sido devueltos a la misión de inspectores de la ONU. Según estas fuentes, la entrega de estos documentos ha tenido lugar la pasada madrugada en un hotel de la capital irakí, donde se alojan los expertos de Naciones Unidas.

Respecto a estos documentos, el portavoz de la agencia Internacional de Energía Atómica, ha asegurado en Viena, que prueban que Irak está desarrollando un sofisticado programa de armamento nuclear. El citado portavoz ha asegurado también que los inspectores de la ONU han encontrado una fábrica de enriquecimiento de uranio, y que la próxima etapa de la investigación tiene por objeto encontrar las instalaciones donde los irakíes experimentan con fines militares.

....

El ministro para las Relaciones con las Cortes, Virgilio Zapatero, se encuentra reunido a esta hora con los diputados socialistas con el fin de explicarles los proyectos de ley que el Gobierno quiere impulsar en este periodo de sesiones, proyectos como el de ley de Seguridad Ciudadana y la reforma del servicio militar. Un encuentro que se produce al día siguiente de la reunión que mantuvo el ministro de Economía Carlos Solchaga con la Ejecutiva del Partido Socialista en la que Carlos Solchaga explicó cuáles serán los gastos del Estado para el año que viene y la orientación de los Presupuestos Generales.

....

El todavía secretario general del CDS, José Ramón Caso, podría hacer pública en los próximos minutos su intención de presentarse a este mismo puesto en el Congreso Extraordinario que comenzará el próximo sábado. Caso ha declarado a Radio Nacional esta mañana que los últimos tres meses han servido para profundizar en los debates internos y realizar una autocrítica y un análisis de los errores. Los electores centristas, ha dicho el secretario general del CDS, se quedaron desconcertados porque el partido descuidó su tarea de oposición y no sacó frutos de la cooperación parlamentaria. Hacen falta proyectos vivos e imaginativos en las tareas de oposición, ha precisado Caso, para quien Adolfo Suárez sigue siendo el mejor candidato del CDS para las próximas elecciones generales.

....

Ingresan en prisión un arquitecto, un aparejador y el propietario de una inmobiliaria de Granada acusados de desmedido afán de lucro, falta de profesionalidad y fraude en las normas básicas para la seguridad de las personas.

Estas personas construyeron una urbanización de lujo y las viviendas amenazan ruina al año de haber sido entregadas.

El rehén británico Jack Mann, secuestrado en 1.989 en el Líbano, será liberado a media noche de hoy, según ha anunciado la agencia iraní de información IRNA, en Beirut.
La agencia cita fuentes bien informadas de la capital libanesa.
Anoche la organización de la Justicia Revolucionaria ya había anunciado la inminente liberación de Jack Mann.

• UNIDAD 12

Buenos días, queridísimos oyentes. Hoy, con motivo de las fiestas navideñas, hemos salido a la calle a preguntar a algunos españoles "de a pie": ¿en qué gasta usted la paga?, y aquí están sus contestaciones:

1. Julia Clavel. 38 años, soltera. Profesora.
No hago nada de particular, la verdad. Lo único que, como tengo más dinero, gasto más. Si veo algo que me apetece, una blusa, una falda, lo compró sin escatimar. Y suelo hacer más regalos, sin pensar si son caros o no, cuando normalmente soy bastante mirada para eso. Ah… una parte importante se me va en los libros que he ido anotando durante mucho tiempo antes.

2. Pilar Echevarría. 45 años, divorciada. Editora.
Pues fundamentalmente en regalos para la familia, sobre todo para mis hijos. Otra parte importante se va en los extras de comidas y reuniones de esos días. Y, eso sí, siempre guardo una parte para las rebajas de enero, donde aprovecho para comprar ropa para los chicos y para mí.

3. Angel Hervás. 40 años, casado. Auxiliar de vuelo.
La paga extra me coincide con la letra doble del coche y con el seguro, con lo cual, después de pagarlas, queda poco. Luego, siempre me gasto algo en regalos de Navidad para la familia y los amigos y en las comilonas que organizamos esos días. A veces me paso y gasto incluso parte del sueldo de enero.

4. Rafael Córdoba, 26 años, soltero. Enfermero.
En viajes. Este año, por ejemplo, me voy a ir a Nafarroa, en Navarra, al monte. Voy siempre a un albergue porque me gusta más, estás más en contacto con la gente, con la naturaleza, aunque a veces hace más frío y no hay tantas comodidades como en un hotel. También hay que comprar utensilios para las excursiones… y una parte, aunque pequeña, se va en copas, chateo, en salidas nocturnas con los amigos.

5. Rosa Andreu. 38 años, casada. Médica.
¿Que en qué me la gasto?, no sé en que me la gasto, soy la persona más desorganizada que te has encontrado, … en regalos para los parientes y amigos, ropa o libros, algún viaje a ver a mis padres, y el resto no sé exactamente en qué me lo gasto… siempre hay alguna mejora que hacer en la casa, por ejemplo, este año, he hecho una estantería de escayola en el comedor.

6. Javier Robles. 56 años, soltero. Conserje.
Suelo comprar lotería de Navidad, unas veinte mil pesetas, más o menos. Después guardo algo para comprar en las rebajas de enero, porque yo sólo compro en las rebajas, aunque me quede sin pañuelos o sin camisas que ponerme. También procuro comprar cosas extras de comer… En cuanto cobro la paga empiezo a comer bien. Después de todo esto, si me sobra un poco de dinero, compro Deuda del Estado.

7. Teresa Escudero. 23 años, soltera. Telefonista.
En regalos para mi madre, mi abuela y mi novio…, en algo que me haga falta. Intento guardar algo para las rebajas, pero casi siempre me lo gasto antes. También en cenas y salidas con los amiguetes, en ir a la discoteca.

Amplía tus conocimientos leyendo en español

COLECCION: "PARA QUE LEAS"

– Lecturas policíacas especialmente elaboradas para estudiantes de español lengua extranjera.
– 5 niveles de dificultad.
– Notas en español, alemán, francés, inglés.

Ya publicados	Nivel
• El hombre que veía demasiado • Muerte en Valencia	1
• Doce a las doce • ¿Dónde está la Marquesa?	2
• Lola • Una morena y una rubia	3
• Distinguidos señores • 96 horas y media en ninguna parte	4
• Do de pecho • Congreso en Granada	5

COLECCION: "LEER ES FIESTA"

– Iniciación a la literatura de España y de América Latina.
– Textos auténticos, cortos e íntegros.
– Glosario español, alemán, francés e inglés.

Ya publicados

• Cosas que pasan
• España cuenta
• América Latina cuenta
• Ventana abierta sobre América Latina
• ¡A escena!
• Poemas y canciones
• Ventana abierta sobre España